Photo-couverture : Valérie Wilkinson/Valan Photos

15e réimpression, décembre 2002

Imprimé au Canada

Publications ORION inc.,
C.P. 1280, Richmond (Québec),
Canada J0B 2H0

ISBN 2-89124-005-7

Publication originale en anglais sous le titre de
HOW TO REALLY LOVE YOUR CHILD

Dépôts légaux — 4e trimestre 1979
Bibliothèque Nationale du Québec
Bibliothèque Nationale du Canada

Dr Ross Campbell

Comment vraiment aimer votre enfant

Traduit de l'anglais
par Danièle Starenkyj

ORION

Introduction

Ce livre s'adresse principalement aux parents de jeunes enfants qui n'ont pas encore atteint l'adolescence. Il vise à donner aux mères et aux pères une méthode intelligible et toute simple pour aborder cette tâche merveilleuse et en même temps imposante d'élever leurs enfants.

J'ai essayé de présenter mon message aux parents, le plus clairement et le plus simplement possible. Mes préoccupations partent des besoins réels d'un enfant et de la meilleure façon de les satisfaire.

De nos jours, l'éducation des enfants est devenue une entreprise complexe pour laquelle la plupart des parents éprouvent de grandes difficultés. La profusion de livres, d'articles de toutes sortes, de conférences et d'interventions concernant les enfants, frustre et égare malheureusement beaucoup de parents plutôt que de les aider. Cela est regrettable car la plupart de ces sources d'information sont excellentes.

Je crois que le problème se trouve dans le fait que la majorité des auteurs et spécialistes centrent leurs études sur un seul ou, tout au plus, sur quelques aspects de l'éducation des enfants, sans couvrir le sujet dans sa totalité, ou sans définir les limites de leur champ d'étude. Par conséquent, les nombreux parents consciencieux qui essaient avec ferveur d'appliquer ce qu'ils ont lu ou entendu sur les movens à prendre pour éduquer leur enfant rencontrent trop souvent l'échec. Cet échec n'est généralement pas dû à une erreur dans l'information lue ou entendue, ni dans la façon de l'appliquer.

Je pense que la source du problème réside dans le fait que les parents ont rarement une perspective générale et équilibrée de ce qu'est une relation avec un enfant. La plupart des parents possède les informations de base mais il y a souvent confusion quant au moment d'appliquer tel principe dans telle circonstance. Cette confusion se comprend facilement. Beaucoup de parents se font dire quoi faire, mais non pas quand le faire, ni souvent comment le faire.

L'exemple classique de cet état de fait concerne la question de la discipline. D'excellents livres et séminaires sur l'enfance ont traité de la discipline sans toutefois dire clairement que la discipline n'est qu'une des formes de relation avec un enfant. Ainsi de nombreux parents croient qu'à travers la discipline ils ont le plus vieux et l'unique moyen d'élever leur enfant. Cette façon de voir est partout répandue, et véhiculée par un proverbe comme: «Qui aime bien, châtie bien». Ce qui n'est pas faux. Mais cela devient tragique quand de nombreux parents ne font que cela, alors qu'ils ne démontrent que peu d'amour senti pour réconforter l'enfant. C'est pourquoi la plupart des enfants doutent qu'ils soient vraiment et inconditionnellement aimés. Je rappelle que le problème n'est pas dans la discipline même, le problème c'est de savoir manifester de l'amour à un enfant à travers la discipline et de savoir le démontrer par des moyens affectueux.

J'exposerai ces problèmes directement et clairement afin de montrer comment il faut envisager globalement l'éducation d'un enfant. En plus j'espère apporter des informations qui aideront les parents à choisir l'action appropriée à chaque situation. Bien sûr, il est impossible de maîtriser chaque circonstance correctement; cependant plus nous réaliserons cet idéal, plus nous deviendrons des parents adéquats et satisfaits, et plus nos enfants seront heureux.

Une grande partie de ce livre a été élaborée à l'intérieur des cours que j'ai donnés pendant les trois dernières années dans le cadre de nombreuses conférences sur les relations parents-enfants.

1

Le problème

Un père et une mère bouleversés ont raconté cette histoire douloureuse dans mon bureau: «Oui, avant il avait toujours l'air content et il ne nous avait jamais donné de préoccupations. Nous nous étions efforcés de le diriger vers de bonnes activités: les scouts, le baseball, l'église et le reste. C'est vrai qu'il s'est passablement disputé avec son frère et sa sœur, mais c'est une forme de conflit assez fréquente n'est-ce pas? À part ça notre garçon s'est toujours bien conduit. Il était parfois de mauvaise humeur et restait dans sa chambre pendant de longs moments. Mais il ne nous a jamais manqué de respect, ou désobéi, ou répliqué. Son père a veillé à cela. S'il y a une chose dont nous sommes sûrs qu'il n'a pas manqué, c'est bien de la discipline. En fait, cela est vraiment surprenant. Comment un enfant si bien suivi jusqu'à présent peut-il soudainement se mettre à marauder avec des petits vauriens qui n'ont jamais été éduqués, et faire les choses qu'ils font? Et se mettre à traiter ainsi les adultes et ses parents? Il ment, il vole, il boit de l'alcool. Je ne peux plus avoir confiance en lui. Je ne peux lui parler et il ne veut pas me parler. Il est tellement renfrogné et fuyant. Il ne me regarde même pas. Il semble ne vouloir rien avoir à faire avec nous. Et il travaille si mal à l'école cette année...».

J'ai demandé: «Quand avez-vous remarqué tous ces changements chez votre garçon?»

«Je vais vous expliquer, dit la mère: il a maintenant quatorze ans. La première chose que nous avons remarquée, ce furent ses notes, il y a à peu près deux ans. Nous avions remarqué que pendant les quelques derniers mois de sa sixième année, il commençait à se dégoûter de l'école, puis d'autres choses. Il s'est mis à détester aller à l'église. Puis, un peu plus tard il s'est mis à perdre tout intérêt pour ses amis et à passer de plus en plus de temps seul, généralement dans sa chambre. Et il parlait de moins en moins. Mais les choses ont commencé vraiment à se gâter quand il est entré à l'école polyvalente. Il a perdu alors tout intérêt dans ses activités favorites, même les sports. C'est à ce moment-là qu'il a laissé tomber complètement ses amis d'enfance et qu'il s'est mis à courir avec de jeunes vauriens. L'attitude de Tom est devenue semblable à la leur. Il s'est mis à se ficher de ses notes et à ne plus étudier, ses amis lui ont créé bien des ennuis.

«Nous avons tout essayé, continua la mère. Au début, nous l'avons tapé, puis nous l'avons privé de télévision, de cinéma, de sorties. Une fois nous l'avons obligé à garder sa chambre pendant un mois complet. Nous avons aussi essayé de le récompenser quand il agissait bien. Je pense que nous avons essayé toutes les recommandations que nous avons lues ou entendues. Je me demande vraiment si quelqu'un peut encore nous aider ou aider Tom.

«Qu'avons-nous fait de mal? Sommes-nous de mauvais parents? Dieu sait que nous nous sommes efforcés d'être bons. Peut-être est-ce congénital? Cela peut-il être physique? Nous l'avons fait examiner par un pédiatre il y a quelques semaines. Pensez-vous que nous devrions lui faire passer un électro-encéphalogramme? Nous avons besoin d'aide. Tom a besoin d'aide, Nous aimons notre garçon, docteur Campbell. Que pouvons-nous faire pour l'aider? Il faut faire quelque chose.»

Puis, une fois les parents repartis, je fis venir Tom à mon bureau. Je fus surpris par ses manières agréables et sa belle apparence. Mais son regard était dirigé vers le plancher et quand il regardait en face, ce n'était que pour quelques instants. Quoiqu'il fût de toute évidence intelligent, Tom ne débitait que des phrases courtes et brusques, avec des grognements. Cependant, lorsque Tom se sentit suffisamment à l'aise pour raconter son histoire, il révéla essentiellement les mêmes faits que ses parents. Allant plus loin, il dit: «Personne ne s'inquiète vraiment de moi, excepté mes amis.»

— Personne, demandai-je?

— Non. Peut-être mes parents. Je ne sais pas. Je pense qu'ils se souciaient de moi quand j'étais petit. Probablement que cela n'a plus d'importance maintenant. Les seules choses qui les préoccupent, ce sont leurs amis, leur travail, leurs activités et leur manière de vivre. De toute façon, ils n'ont pas besoin de savoir ce que je fais. Tout ce que je veux, c'est être loin d'eux et vivre ma propre vie. Pourquoi devraient-ils être maintenant tellement inquiets à mon sujet? Ils ne l'ont jamais été auparavant.»

Alors que la conversation avançait, il devenait clair que Tom était assez dépressif, ne se sentant jamais satisfait de lui-même ou de sa vie. Aussi loin qu'il pouvait se le rappeler, il avait désiré une relation étroite et chaleureuse avec ses parents, mais pendant les quelques derniers mois, il avait abandonné son rêve. Il s'était tourné vers des camarades qui, pensait-il, l'accepteraient, mais son mécontentement était devenu encore plus profond.

Voici donc une situation tragique très courante aujourd'hui. Ce jeune garçon, selon toutes apparences, n'avait pas de problèmes pendant son jeune âge. Jusqu'à ce que Tom ait douze ou treize ans, personne ne pouvait deviner qu'il était malheureux. Pendant toutes ces années, il avait été un enfant facile qui avait peu d'exigences envers ses parents, ses maîtres ou qui que ce soit. Personne ne pouvait deviner que Tom ne se sentait pas complètement aimé et accepté. En dépit du fait que ses parents l'aimaient profondément et se souciaient de lui, Tom ne se *sentait* pas véritablement aimé. Certes Tom connaissait l'amour de ses parents et leur intérêt à son égard et il n'avait jamais prétendu le contraire. Cependant, il n'éprouvait pas ce bien-être émotif incomparable de se sentir aimé et accepté sans réserve.

Cela est difficile à comprendre, car les parents de Tom étaient en fait de bons parents. Ils l'aimaient et faisaient tout leur possible pour répondre à ses besoins. En élevant Tom, ses parents avaient mis en pratique ce qu'ils avaient lu et entendu, ils avaient aussi cherché conseil auprès des autres. Leur mariage était bon, au-dessus de la moyenne. Ils s'aimaient et se respectaient mutuellement.

UNE HISTOIRE FAMILIÈRE

La plupart des parents éprouvent des difficultés à élever leur enfant. Avec les pressions et les tensions qui s'exercent chaque jour de plus en plus sur la famille nord-américaine, on devient aisément perplexe et découragé. L'augmentation du taux de divorce, l'instabilité économique, le déclin de la qualité de l'éducation, la perte de confiance dans les institutions, tout cela épuise les gens. Les parents se sentent de plus en plus vidés physiquement, émotivement et spirituellement. Pour eux, il est de plus en plus difficile de prendre en charge leur enfant. Mais je suis convaincu que c'est l'enfant qui paie le plus lourd tribut à ces temps difficiles. L'enfant est la personne la plus dépendante de notre société, et son besoin le plus grand, c'est l'amour.

De nos jours, l'histoire de Tom est une histoire familière. Les parents de Tom aiment profondément leur enfant. Ils font de leur mieux pour l'élever, mais il y manque quelque chose. Avez-vous deviné quoi? Non, pas l'amour car ses parents l'aiment. Le problème fondamental, c'est que Tom *ne se sent pas aimé.* Faut-il blâmer les parents? Est-ce de leur faute? Je ne pense pas. La vérité est que les parents de Tom l'ont toujours aimé mais qu'ils n'ont jamais su comment exprimer cet amour. Comme la plupart des parents, ils ont une idée implicite des besoins d'un enfant: de la nourriture, un toit, des vêtements, une éducation, de l'amour, des directives, etc... Tous ces besoins sont remplis, excepté un, l'amour, l'amour inconditionnel. Bien que l'amour se trouve naturellement dans le cœur de presque tous les parents, le défi demeure de manifester cet amour à l'enfant.

Malgré toutes les difficultés de l'existence à l'époque actuelle, je crois que les parents sincères qui désirent donner à leur enfant ce dont il a besoin, peuvent arriver à le faire. Mais pour donner tout ce qu'ils peuvent lui donner dans le court temps où il est avec eux, tous les parents ont besoin d'apprendre à véritablement aimer leur enfant.

QUELLE EST LA MEILLEURE FORME DE DISCIPLINE

« Je me rappelle une histoire alors que j'avais six ou sept ans. Encore maintenant cela me rend triste d'y penser et parfois même, furieux, m'a raconté Tom, quelques jours après notre première rencontre. J'avais, sans le faire exprès, cassé une fenêtre en jouant au baseball. Je m'étais senti très mal à l'aise et je m'étais caché dans le bois jusqu'à ce que maman vienne me chercher. J'étais désolé et je me rappelle que j'avais pleuré car je sentais que j'avais mal fait. Quand papa est rentré à la maison, maman lui a raconté l'incident et il m'a battu. » Des larmes coulèrent des yeux de Tom. Je lui ai demandé: « Que leur as-tu dit?». Dans un étranglement, il me répondit: «Rien».

Cet incident illustre un autre point de confusion dans les relations avec les enfants, celui de la discipline. Dans cet exemple, la façon dont Tom fut puni, l'amena à avoir des sentiments de peine, de colère et même de rancune envers ses parents, sentiments qu'il n'oubliera jamais ou ne pardonnera pas sans aide.

Sept ans après, Tom souffre encore de cet incident. Pourquoi cet incident particulier a-t-il laissé une impression si pénible dans sa mémoire? Dans certaines circonstances Tom acceptait les fessées sans mot dire, et parfois il en était même reconnaissant. Se peut-il que ce soit parce qu'il était déjà désolé et repentant d'avoir cassé la fenêtre? Avait-il déjà suffisamment souffert pour sa faute sans avoir à endurer un châtiment physique? Se peut-il que la fessée ait convaincu Tom que ses parents ne le considéraient pas comme une personne en étant indifférents à ses sentiments? Se peut-il qu'à ce moment précis, Tom ait eu besoin de chaleur et de compréhension plutôt que d'une punition sévère? Mais alors, comment ses parents pouvaient-ils le savoir? Comment pouvaient-ils discerner quelle forme de punition était la plus appropriée à ce moment particulier?

Chers parents, qu'en pensez-vous? Devrions-nous prévoir à l'avance l'attitude que nous allons prendre quotidiennement en éduquant un enfant? Pensez-vous que nous devrions être formels et logiques? Jusqu'à quel point? Qu'est-ce que la discipline? Discipline et punition sont-elles synonymes? Devrions-nous suivre une méthode, par exemple celle des «parents efficaces», et n'en plus démordre? Ou devrions-nous utiliser notre propre bon sens et notre intuition? Ou un peu des deux? Dans quelles proportions? Quand?

Ces questions préoccupent tous les parents consciencieux d'aujourd'hui. Nous sommes bombardés de publications sur l'éducation des enfants. Les approches varient de la torsion du muscle trapèze à l'utilisation d'un bonbon comme récompense.

Bref, comment les parents de Tom auraient-ils dû prendre en main cette situation de manière à ce qu'ils réprimandent leur fils mais qu'en même temps ils maintiennent avec lui une relation affectueuse? Nous étudierons ce sujet délicat plus loin.

Je pense que tous les parents s'accordent pour dire qu'élever un enfant est devenu particulièrement difficile. Une raison en est que l'enfant passe une grande partie de son temps sous le contrôle et l'influence de l'extérieur, à l'école, à l'église, au centre des loisirs, chez les voisins, chez les copains. C'est pour cela que de nombreux parents sentent que quoi qu'ils fassent, leurs efforts ont peu d'effet global sur leur enfant.

C'EST LE CONTRAIRE QUI EST VRAI

C'est exactement le contraire qui est vrai. Chaque étude que j'ai analysée indique que c'est le foyer qui remporte la victoire dans chaque cas. L'influence des parents l'emporte sur toute autre chose. C'est le foyer qui détermine largement le bonheur, la sécurité et la stabilité d'un enfant, ses formes de relations avec les adultes, les copains et les autres enfants, son degré de confiance en lui-même et dans ses capacités, s'il sera affectueux ou distant, ou comment il réagira dans des situations particulières. Oui, c'est le foyer, malgré toutes les distractions qu'a un enfant, qui exerce sur lui la plus grande influence.

Mais le foyer n'est pas le seul élément qui décide de l'avenir d'un enfant. Il vaut mieux ne pas faire l'erreur d'accuser le foyer de tous les maux et des désillusions qui surviennent. Pour être complet et juste, je crois qu'il faut considérer une deuxième grande influence qui s'exerce sur un enfant.

LE TEMPÉRAMENT CONGÉNITAL

En réalité, il y a de nombreux tempéraments innés. Jusqu'à présent on en a identifiés neuf. La recherche qui nous donne cette connaissance a été faite par Stella Chess et Alexander Thomas. Leurs conclusions ont été publiées dans leur livre «Temperament and Behavior Disorder In Children» (New-York: University Press, 1968).

Ce livre, reconnu comme un classique, a véritablement apporté une contribution majeure au monde des sciences du comportement. Il aide à expliquer pourquoi les enfants ont les caractéristiques individuelles qu'ils ont. Il explique pourquoi certains enfants sont plus faciles à élever que d'autres. Pourquoi certains enfants sont plus agréables, plus faciles à contrôler. Pourquoi des enfants élevés dans une même famille ou dans des circonstances très similaires peuvent être si différents.

Mieux que tous, les docteurs Chess et Thomas ont démontré que la destinée d'un enfant dépend non seulement de l'environnement familial mais aussi de ses caractéristiques personnelles. Ces découvertes ont eu pour résultat de soulager de nombreux parents d'enfants-problèmes, de critiques injustifiées. De nombreuses personnes (y compris les professionnels) ont la malheureuse habitude de supposer que les parents sont pleinement coupables de tout ce qui arrive à leurs enfants. La recherche de Chess et Thomas prouve que certains enfants sont plus enclins aux difficultés que d'autres.

Considérons rapidement leur étude. Elle donne la description de neuf tempéraments qui peuvent être identifiés déjà dans une pouponnière. Ces tempéraments sont non seulement congénitaux (présents à la naissance) mais sont les caractéristiques de base de l'enfant et tendent à rester avec lui. Ces caractéristiques peuvent être modifiées par l'environnement de l'enfant. Cependant ces tempéraments sont bien enracinés dans la personnalité totale de l'enfant, ils ne changent pas facilement et peuvent persister tout au long de leur vie. Étudions les caractèristiques de ces tempéraments congénitaux.

1. *Le niveau d'activité* est le degré d'activité motrice qu'un enfant possède d'une façon innée et qui détermine son degré d'activité ou de passivité.

2. *La faculté du rythme* (la régularité par rapport à l'irrégularité) est la possibilité de prédire les fonctions de la faim, les heures d'alimentation et d'élimination, et le cycle sommeil-éveil.

3. *Le rapprochement ou l'éloignement* est la nature de la réponse d'un enfant à un nouveau stimulus tel qu'un nouvel aliment, un nouveau jouet, une nouvelle personne.

4. *La faculté d'adaptation* est la rapidité et la facilité à changer une conduite présente face au changement d'une structure de l'environnement.

5. *L'intensité de la réaction* est la quantité d'énergie utilisée pour exprimer ses humeurs.

6. *Le seuil de la sensibilité* est le degré d'intensité qu'un stimulus doit avoir pour amener la personne à répondre.

7. *La qualité de l'humeur* (humeur positive ou humeur négative): elle peut être enjouée, agréable, joyeuse, amicale, ou déplaisante, pleurnicheuse, renfrognée.

8. *La faculté de distraction* identifie l'effet de l'environnement extérieur sur la direction d'une conduite actuelle.

9. *La durée de l'attention et la persévérance* indiquent la durée du temps pendant lequel un enfant poursuit une activité et la continuation d'une activité en face d'un obstacle.

Comme vous l'avez probablement remarqué, les troisième, quatrième, cinquième et septième caractéristiques de tempéraments déterminent d'une façon essentielle si un enfant sera facile ou difficile. L'enfant qui a un haut degré de réactivité (qui est très émotif), l'enfant qui a tendance à s'effacer devant une nouvelle situation (défaitiste), l'enfant qui a de la difficulté à s'adapter à de nouvelles situations (qui ne peut tolérer le changement), l'enfant qui est habituellement maussade, sont des enfants très vulnérables au stress et particulièrement face aux grandes espérances de leurs parents. Malheureusement, ce sont ces enfants qui, en général, reçoivent le moins d'amour et d'attention des adultes.

La leçon qu'il faut apprendre ici c'est que les caractéristiques de base d'un enfant dépendent beaucoup du degré de maternage et des soins qu'il reçoit.

Pour utiliser ces neuf tempéraments, Chess et Thomas leur ont donné des valeurs numériques et ils ont évalué les nouveaux-nés. À partir de ces données, il leur était possible de prédire avec clarté quels enfants seraient des bébés «faciles», c'est-à-dire faciles à soigner, faciles à élever, faciles à approcher. Les bébés difficiles à soigner, à élever et à approcher furent appelés des bébés «difficiles». Ces enfants exigeraient donc beaucoup plus de leurs mères que les bébés «faciles».

Ensuite, Chess et Thomas ont comparé les progrès des enfants aux types de soins maternels reçus. Ils étudièrent les bébés de mamans maternelles (mères désirant leurs bébés et capables de leur donner une atmosphère dans laquelle ils se sentaient acceptés). Ils étudièrent aussi les bébés de mères non maternelles (celles qui consciemment ou inconsciemment rejetaient leurs bébés ou étaient incapables de leur donner une atmosphère dans laquelle ils se sentaient aimés et acceptés). Le graphique à la page suivante résume leurs conclusions.

Comme vous pouvez le voir, les bébés «faciles» et les mères «maternelles» formaient une combinaison parfaite. Ces enfants se développaient bien sans presque aucune conséquence négative.

	MÈRES MATERNELLES	MÈRES NON-MATERNELLES
BÉBÉS FACILES	+ +	+ −
BÉBÉS DIFFICILES	+ −	− −

Les mères «maternelles» de bébés «difficiles» avaient quelques problèmes avec leurs enfants, mais les résultats de ces situations étaient pleinement positifs. D'une façon générale, dans l'atmosphère aimante fournie par leurs mères, ces enfants se développaient bien.

Les bébés «faciles» qui avaient des mères «non maternelles», en général, n'allaient pas très bien. Ils avaient plus de difficultés que les bébés «difficiles» avec des mères «maternelles». Leur expérience était plus négative que positive.

Comme vous vous y attendez, les bébés «difficiles» avec les mères «non maternelles» étaient les plus malheureux. Ces pauvres enfants étaient dans des positions si difficiles qu'ils furent couramment appelés des enfants à hauts risques. La situation de tels enfants est désolante. Ils sont en butte à toutes sortes de dangers, allant des coups à l'abandon. Ils sont en fait nos enfants à risques élevés.

Ainsi, de la réunion de ce matériel de grande valeur, émergent certains faits très importants. D'abord, la façon dont un enfant se conduira dans le futur ne dépend pas uniquement de son environnement familial et de ses parents. Les caractéristiques congénitales de base de chaque enfant ont beaucoup d'effet sur sont développement, ses progrès, sa maturité.

Ces traits affectent également et souvent déterminent le degré de facilité ou de difficulté à élever un enfant et le plaisir ou la frustration qui accompagneront cette tâche. Naturellement, ces traits influencent en retour l'attitude des parents vis à vis de leurs enfants. C'est un chemin à deux voies.

En apprenant ces faits dans mon bureau, de nombreux parents tourmentés se sont sentis soulagés de leurs remords.

Une autre leçon essentielle que les parents doivent apprendre c'est que, quel que soit le tempérament congénital d'un enfant, le genre de maternage (et naturellement de paternage) qu'il reçoit est encore plus important dans la détermination de son avenir. Étudiez à nouveau le graphique. Un bébé « difficile » est naturellement plus difficile à élever, mais le genre de soins émotifs qu'il reçoit a plus d'influence sur le résultat final. Les parents peuvent modifier ces tempéraments congénitaux positivement ou négativement.

C'est de cela que nous voulons parler dans ce livre. Nous voulons parler de « comment faire » : comment communiquer avec son enfant pour qu'il grandisse au mieux de ses possibilités, comment donner à son enfant les soins émotifs dont il a tant besoin. Il est impossible de couvrir tous les aspects de l'éducation d'un enfant, c'est pourquoi j'ai consigné ici ce que je considère comme les éléments essentiels d'une démarche visant à produire des parents efficaces.

Il est vrai que la majorité des parents ont un sentiment d'amour envers leurs enfants. L'on *suppose*, toutefois que les parents expriment naturellement cet amour à leur enfant. À tort. La plupart des parents ne transmettent pas leur propre amour sincère à leurs enfants et cela parce qu'ils ne savent pas comment l'exprimer. Par conséquent, beaucoup d'enfants ne se sentent pas véritablement, authentiquement aimés et acceptés.

Cela est au cœur des problèmes des enfants d'aujourd'hui. À moins que les parents aient avec leur enfant une relation fondamentale d'amour, toutes les autres relations — discipline, amitiés avec les copains, performances scolaires — se feront sur un fondement faussé et des difficultés surviendront.

Ce livre veut donner tout simplement les éléments de base essentiels qui permettent d'établir avec un enfant une relation d'amour.

2

Le terrain

Avant d'entrer dans le vif du sujet (comment aimer vraiment son enfant), il est important de considérer les prérequis d'une bonne éducation. Le premier et le plus important est le foyer. Nous n'allons en toucher que quelques points essentiels. La relation la plus importante dans la famille est la relation conjugale. Elle prime sur toutes les autres, y compris la relation parents-enfant. La qualité du lien parents-enfant et la sécurité de l'enfant dépendent largement de la qualité du lien conjugal. C'est pourquoi il est important d'assurer la meilleure relation possible entre le mari et la femme avant de chercher sérieusement à communiquer avec l'enfant de façon plus positive. Nous pouvons affirmer que meilleure sera la relation conjugale, plus efficace et plus satisfaisante sera l'application des informations qui suivront.

Nous allons commencer par établir des différences entre une communication cognitive (c'est-à-dire intellectuelle ou rationnelle) et une communication émotive (c'est-à-dire au niveau des sentiments). Les personnes qui communiquent en principe à un niveau cognitif ont affaire essentiellement à des données concrètes. Elles aiment parler de sports, de la bourse, de l'argent, de maisons, de travail, etc..., et elles tiennent le sujet de la conversation en dehors du domaine émotif.

En général, elles sont mal à l'aise dans des conversations qui provoquent des émotions, particulièrement des émotions négatives, comme la colère. Par conséquent, elles évitent de parler de sujets qui concernent l'amour, la peur et la colère. Ces personnes ont donc de la difficulté à exprimer leur affection et leurs encouragements à leur conjoint.

D'autres communiquent plus au niveau des sentiments. Ils se fatiguent facilement de simples données concrètes et ont besoin de partager leurs sentiments, particulièrement avec leur conjoint. Ils pensent que l'atmosphère qui entoure un homme et une femme doit être le plus possible dépourvue d'émotions négatives, comme la tension, la peur ou la rancœur. Alors, naturellement, ils veulent parler de ces choses émotives, résoudre les conflits avec leur conjoint, nettoyer l'air et garder l'atmosphère agréable entre eux.

Il va de soi que personne n'est totalement cognitif ou complètement émotif. Nous sommes tous quelque part sur le spectre de positions de ce petit graphique:

ÉMOTIF **COGNITIF**

Si la personnalité de quelqu'un avait tendance à se manifester presque complètement émotivement, on la mettrait à gauche de ce graphique. Si une personne avait un schéma de communication cognitif, elle serait à droite. Nous nous plaçons tous quelque part entre ces deux extrêmes. Où vous placez-vous?

Où pensez-vous que les hommes et les femmes se placent sur ce graphique? En règle générale, les femmes ont tendance à être émotives dans leur façon de communiquer avec les autres, particulièrement avec leur époux, ou leur enfant. Les hommes eux, ont tendance à être plus cognitifs.

Ici je parie que vous supposez qu'il est plus désirable d'être à droite du graphique plutôt qu'à gauche. Mais non. La vérité c'est que chaque genre de personnalité a ses avantages et ses désavantages. La personne qui se trouve plus à gauche du graphique, qui partage plus ses sentiments, n'est pas moins intelligente ou moins intellectuelle. Cette personne est tout simplement plus consciente de ses émotions et généralement elle est plus capable de faire quelque chose à leur sujet. D'autre part, la personne plus à droite du graphique, celle qui étale moins ses sentiments, *n'en a pas moins*. Elle les étouffe et les enterre tout simplement. Cette personne est moins consciente de ses sentiments.

Il est surprenant de voir que la personne cognitive est tout autant contrôlée par ses sentiments que la personne émotive, *mais elle n'en a pas conscience*. Par exemple, l'intellectuel sec et affecté a aussi des sentiments profonds, mais il emploie énormément d'énergie à les étouffer afin qu'ils ne le dérangent pas. Heureusement, ils le dérangent quand même, car chaque fois que quelqu'un, une épouse «émotive», un enfant, est autour de lui et lui demande de l'affection et de la chaleur, il est non seulement incapable de répondre, mais encore il se fâche parce que son précieux équilibre a été rompu.

L'INITIATIVE D'UN PÈRE

Une femme, Mary, m'a confié en consultation: «Mon mari réussit admirablement bien dans son travail et il est tellement respecté que je me sens très mal à l'aise dans mes sentiments envers lui. Je me fâche terriblement contre lui, et je me sens tellement coupable que je ne me supporte plus. J'essaie de lui expliquer ce que je ressens envers lui et les enfants. Il se trouble, se tait, et se fâche contre moi. Je suis bouleversée et choquée et j'essaie de revenir vers lui. Je deviens même frigide et je ne peux plus avoir de relations avec lui. Que puis-je faire? Je suis très angoissée au sujet de mon mariage et de mes enfants, mais je ne peux même pas en parler avec lui. Comment notre mariage peut-il subsister? Nous ne pouvons même pas parler ou partager nos pensées et nos sentiments.»

Voilà encore une histoire familière. Le mari est un homme compétent dans le monde des affaires. Il s'y connait. Il contrôle les faits. Il est à l'aise dans un monde où les facteurs émotifs sont exclus et généralement inutiles. Là, il est «cognitif» dans ses communications. Mais à la maison, il est comme un poisson hors de l'eau. Il est marié à une femme normale qui a des besoins d'épouse et de femme, tout à fait normaux, entre autres, sa tendresse et son approbation. Elle a besoin de lui pour partager ses intérêts, ses craintes et ses espoirs. Elle est de type plutôt émotif. Elle veut sentir que son mari est désireux d'assumer ses responsabilités affectives envers sa famille. Ces besoins ne signifient pas qu'elle est faible, ultra-sensible ou qu'elle ne porte pas sa part de responsabilités. En fait, je n'ai jamais encore rencontré de famille véritablement heureuse et sympathique où le père et mari aurait échappé à ses responsabilités familiales. Certes, la femme et mère a des responsabilités, mais le mari doit être prêt à l'aider et à la soutenir en tout. Une raison pour laquelle cela est essentiel, c'est qu'une femme a de la difficulté a nourrir de l'amour pour son mari si elle ne sent pas que celui-ci est prêt à la seconder à cent pour cent dans tous les domaines de la vie familiale, qu'ils soient émotifs ou autres. Inversement, cela est vrai aussi quant aux responsabilités familiales du mari. Il doit être sûr que sa femme est prête à l'aider, et même intervenir si nécessaire.

Disons-le autrement. Lorsqu'une femme doit assumer les responsabilités de son mari parce que celui-ci y échappe, il lui est difficile de se sentir en sécurité et à l'aise dans son amour. En consultation, une femme se plaignait un jour de se sentir incertaine de l'amour de son mari, et de la difficulté qu'elle avait à lui répondre amoureusement. Il apparut très vite qu'elle avait, à cause de la négligence de son mari, à assumer toutes les charges de la maison, y compris celles de l'entretien du terrain, et des finances. Cela aurait pu être correct si le mari et la femme, ensemble, l'avaient voulu ainsi et en étaient satisfaits. Dans un tel cas, le mari doit être prêt à assumer une responsabilité globale; il doit être prêt et désireux de prendre n'importe quand la relève d'une femme surchargée. « La bonne volonté » d'un homme à être tout a fait responsable de sa famille, est un des plus grands atouts qu'une femme et un enfant puissent rencontrer chez lui.

Une épouse peut être merveilleuse quand elle accepte l'amour de son mari, en l'amplifiant de nombreuses fois et en le faisant rejaillir sur lui et les enfants. Le foyer se remplit alors d'une atmosphère extraordinaire. Cependant, c'est au mari de prendre la responsabilité de manifester son amour. Les maris qui ont découvert ce secret sont à envier. L'amour que leur femme leur donne en retour est sans prix et à mon avis, il est le bien le plus précieux de ce monde. Il est difficile au début d'exprimer cet amour mais lorsque le mari expérimente en contre-partie l'amour de sa femme, qu'il le trouve multiplié de nombreuses fois et qu'il voit qu'il augmente avec le temps, cela lui devient de plus en plus aisé.

S'il y a des exceptions, je n'en ai encore jamais rencontrées. Le mari qui prend la responsabilité complète, totale et globale de sa famille, qui prend l'initiative de montrer ouvertement son amour pour sa femme et ses enfants, découvre un bonheur incroyable: une épouse aimante, encourageante, active, qui cherche à demeurer toujours la plus gentille pour lui ; des enfants équilibrés, contents et pleins de promesses pour l'avenir. Personnellement, je n'ai jamais vu un mariage échouer lorsque ces principes étaient respectés ; par contre, négliger ceux-ci a toujours été, d'une façon ou d'un autre, à l'origine des insuccès que j'ai pu observer dans les mariages. Alors pères, l'initiative est à vous !

Mais on se demande comment un homme peut prendre l'initiative et la responsabilité de manifester son amour à sa famille lorsqu'il est essentiellement « cognitif », donc maladroit dans le domaine des sentiments, alors que sa femme, elle, est émotivement plus démonstrative que lui.

Cher ami, vous venez de toucher au problème le plus fréquent, le plus ignoré et le plus difficile du mariage contemporain. Il est difficile à traiter car la plupart des hommes semblent le méconnaître. Au lieu de comprendre combien la vie émotive de leur femme est vitale, ils la considèrent comme un désagrément qui devrait être évité. Naturellement, le résultat de tout ceci, au niveau de la relation conjugale, est, à l'exemple du témoignage de Mary, frustrations, égarement et destruction des communications.

Il semble que tout le monde, aujourd'hui, saisisse l'importance de la communication dans la vie familiale. Pouvez-vous comprendre à partir de l'histoire précédente, comment la communication peut s'embourber quand un mari « cognitif » ne peut pas exprimer ses sentiments, et qu'une femme « émotive » ne peut pas partager ses sentiments et ses espoirs les plus intimes ? Quel dilemme ! Maris, nous devons faire face à la musique. Nos femmes sont presque toujours plus sensibles que nous dans le domaine de l'amour, de la tendresse et de l'identification de nos besoins et de ceux de nos enfants ; c'est pourquoi, nous, les hommes, avons désespérément besoin de leur aide, qu'elles nous guident à travers ce monde un peu étranger des sentiments (généralement, nous suivons les conseils des experts, n'est-ce pas ?).

Nous, les maris, devons non seulement respecter cette compétence naturelle de nos femmes et accepter d'être guidés dans le domaine des émotions mais nous devons aussi les encourager et les seconder dans leur travail quotidien afin d'établir un climat émotif dans le foyer. Si nous leur sommes un obstacle ou si nous les embarrassons dans ce travail, nous les découragerons et finalement nous leur briserons le cœur. Combien de ces chères épouses, ai-je rencontrées dans mon travail de conseiller, qui s'efforçaient d'exprimer ouvertement leur amour pour leur famille et qui étaient retenues par l'attitude de leur mari? Le naturel de ces femmes est brisé et la dépression s'ensuit.

Mais considérez ces mariages où le mari apprécie les sentiments profonds de sa femme et son besoin de les communiquer. Non seulement il l'écoute, mais encore il apprend d'elle. Il apprend combien il est utile et satisfaisant de communiquer à un niveau émotif, que cela soit facile ou non. De tels mariages grandissent toujours avec les années. Mari et femme deviennent de plus en plus proches et irremplaçables l'un pour l'autre. De tels mariages sont les plus grands dons de la vie.

L'AMOUR EST-IL AVEUGLE?

«Vous voyez, il ne m'aime plus. Tout ce qu'il fait, c'est me critiquer», me disait en se plaignant la jolie Yvonne. Elle et son mari, me rencontraient en dernier recours pour sauver leur mariage. Yvonne continua: «Est-ce qu'il y a quelque chose de gentil que tu puisses me dire, Jean?». À ma grande surprise, Jean ne pouvait trouver aucun compliment à adresser à sa femme. Yvonne était sympathique, intelligente, sensée et douce, mais Jean semblait incapable de voir autre chose que des défauts. Ils étaient mariés depuis six ans. Pourquoi en étaient-ils rendus là?

Il est difficile de comprendre, si on pense au taux incroyable de divorces, que tous les mariages ont commencé avec de grands espoirs, de grandes attentes, un grand amour et des émotions merveilleuses entre les nouveaux mariés. Au début tout semble extraordinaire, le monde est parfait. Le mariage d'Yvonne et de Jean avait, lui aussi, commencé de cette manière. Comment avait pu se produire ce changement étonnant?

Un des facteurs-clé de ces changements est l'immaturité. Mais qu'est-ce donc? L'immaturité est fonction de l'âge, mais pas complètement. Dans le cadre de ce problème particulier, l'immaturité peut être définie comme l'inaptitude à tolérer (à supporter) l'ambivalence à un niveau conscient. L'ambivalence, c'est tout simplement avoir des sentiments opposés ou conflictuels envers la même personne.

Cela explique le dicton: «L'amour est aveugle». Lorsque nous tombons amoureux pour la première fois, et pendant les premières semaines et les premiers mois d'une union, nous jugeons notre amoureux, parfait, et nous ne pouvons tolérer aucun sentiment déplaisant à son sujet. C'est pourquoi nous supprimons, nions, ignorons la moindre chose qui nous déplait chez notre conjoint. Nous écartons alors de notre considération un physique imparfait, une tendance à trop parler, à ne pas assez parler, une tendance à être trop gros ou trop maigre, une exubérance excessive, la gêne, la mauvaise humeur, la maladresse dans les sports, dans la musique, les arts, la couture ou la cuisine.

Le fait de se cacher les défauts de notre partenaire ne pose pas de problème au début. Mais lorsque nous vivons avec lui, jour après jour, semaine après semaine, mois après mois, nous faisons de nouvelles découvertes à son sujet. Certaines sont bonnes, d'autres non. Certaines sont même révoltantes. Cependant, aussi longtemps que nous réprimons ces choses déplaisantes dans notre inconscient, nous pouvons continuer à voir la personne aimée comme un modèle parfait, et tout va bien.

Le problème est que nous ne pouvons pas fausser notre jugement indéfiniment. Il arrive un moment où nous atteignons un point de saturation. Cela peut arriver quelques jours ou quelques années après notre mariage. Cela dépend premièrement de notre capacité de refouler, d'ignorer ou de surmonter ce qui est désagréable, deuxièmement de notre degré de maturité, c'est-à-dire, de notre capacité de traiter consciemment nos sentiments ambivalents.

Lorsque nous atteignons ce point critique, nous ne pouvons pas continuer à ignorer plus longtemps les côtés négatifs. Soudainement, nous affrontons des sentiments désagréables envers notre conjoint, sentiments qui s'accumulaient depuis des jours, des mois ou des années. Et à ce moment, à cause de notre immaturité (notre incapacité de nous occuper de notre ambivalence) nous faisons un volte-face total. Nous supprimons les bons sentiments et nous accentuons les mauvais. Nous voyons alors notre conjoint sous un jour totalement différent où tout devient mauvais, avec très peu ou pas de bons côtés du tout.

Cela peut arriver rapidement. Il y a deux mois, Jean voyait encore Yvonne comme le sommet de la perfection. Aujourd'hui, il peut à peine tolérer sa présence. Yvonne est restée essentiellement la même. C'est la perception de Jean qui est complètement changée.

Comment pouvons-nous venir à bout de ce problème courant qui est une des causes d'une plaie sociale? Comme toujours la réponse est facile à trouver et difficile à mettre en pratique. Premièrement nous devons admettre que personne n'est parfait. C'est extraordinaire, nous entendons cette phrase chaque jour, mais nous n'y croyons pas! En jouant au jeu de «L'amour est aveugle», nous démontrons que nous voulons et attendons la perfection de ceux que nous aimons.

Deuxièmement nous devons continuellement avoir conscience des bons et des mauvais côtés de notre conjoint. Je dois admettre, et ne pas oublier qu'il y a chez ma femme, des attitudes qui me plaisent et d'autres qui me déplaisent, elle est comme toutes les autres personnes. Il m'a fallu beaucoup de temps pour apprendre à reconnaître ce que j'aime en elle alors que sa personnalité m'avait déçu.

Troisièmement, nous devons apprendre à accepter notre conjoint comme il est, avec ses défauts car la probabilité de trouver quelqu'un de mieux ou une situation meilleure, à travers le divorce et le remariage, ou à travers une aventure, est plutôt mince, particulièrement à cause des sentiments de culpabilité et des autres problèmes que de telles situations entraînent. Rappelez-vous que votre femme ou votre mari est, en vérité, irremplaçable.

L'AMOUR INCONDITIONNEL

«L'amour est patient, il est plein de bonté, l'amour n'est point envieux, l'amour ne se vante point, il ne s'enfle point d'orgueil, il ne fait rien de malhonnête, il ne cherche point son intérêt, il ne s'irrite point, il ne soupçonne pas le mal, il ne se réjouit point de l'injustice, mais il se réjouit de la vérité, il excuse tout, il croit tout, il espère tout, il supporte tout[1].»

Ce texte parle précisément du fondement de toute relation d'amour. Le secret ici peut s'appeler «l'amour inconditionnel», l'amour qui ne dépend pas des prouesses du conjoint, ni de son âge, ni de son poids, ni de ses erreurs, etc.... Ce genre d'amour fait dire: «J'aime ma femme quoi qu'il arrive. Quoi qu'elle fasse, quoi qu'elle ait l'air, quoi qu'elle dise, je l'aimerais toujours.» Oui, l'amour inconditionnel est un idéal impossible à atteindre. Cependant, plus j'approcherai cet idéal, plus ma femme sera rendue parfaite par Celui qui nous aime. Plus Il la changera à Son Image, plus elle deviendra agréable à mes yeux et plus je serai heureux par elle.

Cela nous amène à la fin de notre discussion sur le mariage. Nous n'aurons touché qu'à quelques points, mais il y a beaucoup de bons livres sur ce sujet, et nous voulons maintenant avancer dans notre tâche de vous apprendre à aimer un enfant.

Quand nous explorons le monde de l'enfant nous devons nous rappeler que la relation conjugale demeure, sans équivoque, le lien le plus important dans une famille. L'influence de cette relation sur un enfant est énorme durant toute sa vie.

Voici un exemple tiré de mon expérience et qui témoigne de cette influence. Il concerne une famille chrétienne que j'ai rencontrée en consultation il y a quelques mois. Jennifer, une jeune fille de quinze ans me fut amenée par ses parents à la suite d'une mauvaise conduite sexuelle qui avait débouché sur une grossesse. Jennifer était une belle fille et elle avait une personnalité agréable. Elle avait aussi de nombreux talents. La relation qu'elle avait avec son père était forte, chaleureuse et saine, une denrée rare à notre époque. Sa relation avec sa mère semblait aussi être bonne. Au premier abord, je fus étonné de voir que Jennifer avait choisi de s'impliquer sexuellement comme elle l'avait fait. Elle avait peu de sentiments et d'intérêt pour le père de l'enfant. De plus, elle n'était pas d'un tempérament à rechercher l'attention masculine. Jennifer avait toujours été une enfant soumise et respectueuse, facile à diriger par ses parents. Alors pourquoi soudainement, Jennifer se retrouvait-elle enceinte? Je ne comprenais pas.

Je vis ses parents ensemble puis séparément. Comme vous le devinez, les parents de Jennifer avaient des conflits conjugaux qu'ils avaient bien caché aux yeux des autres. Leurs querelles dataient de loin, mais la famille s'était efforcée de fonctionner pendant des années d'une façon assez stable. De plus, Jennifer avait toujours joui d'un relation étroite avec son père. Plus elle grandissait, plus la mère devint jalouse de ce lien. Cependant, à part cette jalousie, la mère avait une relation assez positive avec Jennifer.

Puis Jennifer atteignit l'adolescence. Alors que son corps prenait des formes féminines, la jalousie de la mère augmenta. Par diverses formes de communications non verbales (que nous étudierons plus loin), la mère envoya à sa fille un message clair et précis. Le message disait que Jennifer était maintenant une femme qui pouvait s'occuper de ses propres besoins émotifs, en particulier celui de chercher l'attention des autres garçons. Comme de nombreuses filles de son âge, Jennifer chercha donc à substituer l'attention de ses copains à l'amour de son père. Jennifer avait agi en accord avec les instructions inconscientes et non verbales de sa mère.

Sa mère était consciente de sa propre situation conjugale malheureuse qui résultait d'une pauvre vie sexuelle avec son mari. Elle était aussi consciente de l'intimité qui existait entre Jennifer et son père. Elle n'était pas consciente de l'intensité de sa jalousie envers Jennifer. Elle n'était pas non plus consciente du rôle qu'elle avait joué dans l'aventure sexuelle de sa fille.

Dans un tel cas, il est inutile et même dangereux de confronter chaque personne (particulièrement la mère ici) avec ses fautes et ses erreurs. Quoique le problème apparent fût la mauvaise conduite de l'enfant, le problème fondamental était la relation conjugale. Afin d'aider cette famille de la façon la plus sensée, la plus aimante et la plus efficace, le thérapeute doit aider les parents dans leur lien de mariage, et ne pas se concentrer sur l'analyse de leurs fautes. Il doit aussi maintenir devant leurs yeux le pardon de Dieu qui débarrasse du remords. Une fois le lien conjugal réparé, le remords est résolu, et la relation de conflit mère-enfant peut être rectifiée.

Ce cas illustre combien l'union conjugale est importante dans la vie d'un enfant. Plus ce lien est fort et sain, moins nous aurons de problèmes en tant que parents. L'information donnée dans ce livre sera d'autant plus efficace que nous la mettrons en application.

Nous allons voir maintenant la deuxième des relations les plus importantes au sein d'une famille.

1. 1 Corinthiens, 13, 4-7

3

La pierre angulaire

« L'amour véritable est inconditionnel, et cet amour devrait se manifester dans toutes les relations d'amour [1]. » Le fondement d'une relation solide avec notre enfant est l'amour inconditionnel. Seul ce genre de relation d'amour va permettre la croissance d'un enfant en accord avec son potentiel complet et total. Seul ce fondement qui est l'amour sans réserve peut assurer la prévention de problèmes tels que les sentiments de rancune, de culpabilité, de peur et d'insécurité, et celui de ne pas se sentir aimé.

Il faut bien comprendre que nous ne pouvons discipliner correctement un enfant que si notre relation première avec lui en est une d'amour inconditionnel. Sans cette base d'amour inconditionnel il est impossible de comprendre le comportement d'un enfant ou de savoir comment réagir à sa mauvaise conduite.

L'amour inconditionnel peut être considéré comme la lumière qui sert de guide dans l'éducation d'un enfant. Sans elle nous, parents, agissons dans l'obscurité sans trouver de points de repères pour nous situer quotidiennement et savoir quoi faire pour notre enfant. Avec elle, nous avons des repères qui nous indiquent où nous en sommes, où en est l'enfant, et ce que nous devons faire dans tous les domaines, y compris la discipline. Avec ce fondement seulement, nous avons une pierre angulaire à partir de laquelle nous pouvons affermir notre compétence dans l'éducation de notre enfant et élaborer notre réponse à ses besoins quotidiens. Sans ce fondement de l'amour inconditionnel, le métier de parents est un fardeau déroutant et frustrant. Et qu'est-ce que l'amour inconditionnel? L'amour inconditionnel, c'est aimer un enfant *peu importe ce qu'il est,* peu importe son apparence, peu importe ses antécédents, ses limites et ses handicaps; peu importe nos attentes et surtout, ce qui est le plus difficile, peu importe sa conduite. Naturellement cela ne signifie pas que nous aimons toujours sa conduite. L'amour inconditionnel veut que nous aimions *l'enfant,* même quand, par moments, nous détestons sa conduite.

Comme nous l'avons dit lorsque nous discutions de l'amour inconditionnel entre conjoints, cet amour est un amour idéal que nous n'atteignons jamais parfaitement. Mais ici aussi, plus nous nous en approcherons, plus nous tendrons à l'atteindre, et plus nous serons des parents satisfaits et confiants. Notre enfant aussi sera plus satisfait, plus agréable, plus heureux.

Combien j'aimerais moi-même pouvoir dire «j'aime mes enfants tout le temps sans prendre en considération quoi que ce soit, même leur conduite». Comme tous les autres parents, je ne puis le dire. Cependant je me félicite d'essayer d'arriver à ce merveilleux but: les aimer inconditionnellement. J'y parviens en me répétant constamment ces choses:

1) Ce sont des enfants.
2) Ils ont tendance à agir en enfant.
3) Bien des conduites enfantines sont désagréables.
4) Si je fais ma part en tant que parent et si j'aime mes enfants en dépit de leur conduite enfantine, ils seront capables d'augmenter leur maturité et d'abandonner leurs enfantillages.

5) Si je les aime seulement quand ils me plaisent (ce qui est de l'amour conditionnel), ne leur manifestant mon amour qu'à ces moments-là, ils ne se sentiront pas véritablement aimés. Cela détruira leur sentiment de sécurité, détruira leur confiance en eux-mêmes et, en fait, les *empêchera* d'avancer vers une meilleure maîtrise d'eux-mêmes et une conduite plus mûre. C'est ainsi que la mise en valeur de leur comportement est autant *ma* responsabilité que la leur.
6) Si je les aime inconditionnellement, ils se sentiront bien, et seront remplis de confiance. En grandissant, ils pourront alors contrôler leur anxiété et, en retour, leur conduite.
7) Si je ne les aime que lorsqu'ils rencontrent mes exigences ou mes attentes, ils se sentiront incompétents. Ils croiront qu'il est inutile de s'efforcer de faire de leur mieux car cela ne sera jamais assez. L'insécurité, l'anxiété et une pauvre estime d'eux-mêmes les harcèleront. Ces éléments seront de constants obstacles à la croissance de leur émotivité et de leur comportement.
8) Pour ma propre satisfaction de parent qui se démène, et pour celle de mes filles et de mes fils, je prie pour que mon amour pour eux soit le plus inconditionnel possible. L'avenir de mes enfants dépend de ce fondement.

UN ENFANT ET SES SENTIMENTS

Vous souvenez-vous du petit graphique du deuxième chapitre? Où pensez-vous qu'il faut y situer un enfant? Exactement! Tout à fait à gauche. Un enfant vient au monde avec une capacité étonnante de perception émotive. L'enfant est extrêmement sensible aux sentiments de sa mère. Qu'il est beau de voir un enfant nouveau-né que l'on donne à sa mère pour la première fois, lorsque la mère le désire véritablement. Il se niche au creux du corps de sa maman et sa satisfaction est évidente. Mais lorsqu'une mère ne désire pas son enfant, le spectacle est bien différent. Le pauvre bébé n'est pas satisfait, très souvent il refuse de se nourrir et tète mal, il pleurniche beaucoup et exprime un mécontentement évident. On peut souvent constater cet état de fait auprès d'une mère inquiète ou déprimée, même si elle semble bien s'occuper de son enfant.

Il est donc très important de comprendre que dès leur naissance, les enfants sont extrêmement sensibles aux émotions. Comme leur bagage de connaissance est réduit, leur façon de communiquer avec le monde se situe avant tout au niveau des sentiments. Et cela est capital, comprenez-vous? Les premières impressions d'un enfant se font à travers ses sentiments, ce qui est à la fois merveilleux et effrayant si nous pensons à l'importance d'un tel fait. L'état émotif d'un enfant détermine sa façon de voir le monde, ses parents, son foyer et de se voir lui-même.

Cela constitue la base et le fondement d'à peu près tout le reste. Par exemple, si un enfant voit son monde comme un monde qui le rejette, qui ne l'aime pas, qui ne prend pas soin de lui, qui lui est hostile, comment pourra-t-il éviter l'angoisse que je considère comme le plus grand ennemi d'un enfant? Cette angoisse nuira au développement du langage, de son comportement, à sa capacité de communiquer et d'apprendre. Le point à faire comprendre ici c'est qu'un enfant est non seulement extrêmement sensible mais aussi vulnérable.

Presque toutes les études que je connais, démontrent que l'enfant demande sans cesse à ses parents: «M'aimez-vous?». Un petit enfant pose cette question émotive surtout à travers son attitude, très rarement verbalement. La réponse à cette question est, d'une façon absolue, la chose la plus importante de sa vie.

«M'aimez-vous?». Si nous aimons un enfant inconditionnellement, il sentira que notre réponse à cette question est oui. Si nous l'aimons conditionnellement, il ne sera pas certain de nos sentiments et sera porté à être anxieux. La réponse que nous donnons à cette question si importante pour un enfant «m'aimez-vous?», détermine en grande partie son attitude fondamentale face à la vie. C'est capital.

Comme un enfant nous pose généralement cette question à travers sa conduite, nous lui donnons réponse à travers notre conduite, par ce que nous disons et par ce que nous faisons. Par sa conduite, un enfant nous dit ce dont il a *besoin,* que ce soit plus d'amour, ou plus de discipline, ou plus d'acceptation, ou plus de compréhension. (Nous verrons cela en détail plus loin. Pour le moment, concentrons-nous sur ce fondement irremplaçable de l'amour inconditionnel).

Nous répondrons à ces besoins par notre conduite, seulement si notre relation est basée sur l'amour inconditionnel. J'espère que vous avez saisi les mots «par notre conduite». Le sentiment d'amour envers notre enfant peut être fort, mais cela n'est pas suffisant. C'est à travers notre conduite qu'un enfant voit si nous l'aimons. Nous transmettons notre amour à notre enfant par notre attitude à son égard, par ce que nous *disons,* par ce que nous *faisons.* Cependant, c'est ce que nous faisons qui a le plus de poids. Un enfant est beaucoup plus affecté par nos gestes que par nos mots.

Il y a un autre concept critique que les parents ont besoin de comprendre, c'est que l'enfant a un réservoir émotionnel. Ce réservoir s'entend au sens figuratif, mais il n'est est pas moins très réel. Chaque enfant a certains besoins émotifs, et selon qu'ils sont comblés ou non (à travers l'amour, la compréhension, la discipline, etc...) cela influence le reste. D'abord cela influencera comment un enfant se sent: s'il est content, fâché, déprimé ou joyeux. Puis cela influencera sa conduite: s'il est obéissant, désobéissant, pleurnicheur, guilleret, enjoué ou effacé. Évidemment plus son réservoir sera plein, plus ses sentiments seront positifs et meilleure sera sa conduite.

Ici, laissez-moi faire une des déclarations les plus importantes de ce livre: *ce n'est que lorsque le réservoir émotionnel d'un enfant est plein que l'on peut s'attendre à ce que cet enfant soit au mieux de son état ou qu'il agisse de son mieux.* Et sur qui repose la responsabilité de garder ce réservoir émotif plein? Sûrement sur les parents. Le comportement d'un enfant indique l'état du réservoir. Nous parlerons plus loin de la façon de remplir le réservoir, mais pour le moment comprenons que ce réservoir doit être gardé plein et il n'y a que nous, les parents, qui pouvons le garder ainsi. Ce n'est que lorsque son réservoir est plein qu'un enfant peut être véritablement heureux, atteindre son potentiel et réagir correctement à la discipline. Dieu, aide-moi à combler les besoins de mon enfant comme tu combles les miens! «Et mon Dieu comblera tous vos besoins[2].»

LES ENFANTS RÉFLÉCHISSENT L'AMOUR

On peut imaginer les enfants comme des miroirs. Ils réfléchissent mais n'amorcent pas l'amour. Si de l'amour leur est manifesté, ils le redonneront. S'ils n'en reçoivent pas, ils n'en redonneront pas. L'amour inconditionnel est réfléchi inconditionnellement, et l'amour conditionnel est redonné conditionnellement.

L'amour entre Tom et ses parents est un exemple d'amour conditionnel. Pendant que Tom grandissait et aspirait à une relation intime et chaleureuse avec ses parents, ceux-ci, malheureusement, croyaient qu'ils devaient constamment le pousser à faire mieux, et lui retiraient leur estime, leur chaleur et leur affection sauf s'il se conduisait de façon extraordinaire, de quoi les rendre fiers. Autrement, ils étaient stricts et pensaient que trop d'approbation et d'affection gâteraient leur enfant et affaibliraient son désir de faire mieux. Leur amour était donné lorsque Tom excellait dans quelque chose, mais il était retenu en d'autres circonstances. Cela avait bien marché lorsque Tom était plus jeune. En grandissant, il se mit à sentir que ses parents ne l'aimaient pas réellement ou ne l'appréciaient pas pour lui-même, mais plutôt qu'ils ne s'occupaient que de leur propre estime.

Quand Tom devint un adolescent, son amour pour ses parents ressembla fortement à celui de ses parents pour lui. Il avait bien appris à aimer sous condition . Il se mit à se conduire d'une façon agréable seulement lorsque ses parents faisaient quelque chose d'agréable pour lui. Naturellement, Tom et ses parents, en jouant ce jeu, finirent bientôt par ne plus manifester d'amour, chacun attendait que l'autre fasse quelque chose d'agréable. Dans une telle situation, chacun devint de plus en plus désappointé, confus et désorienté. C'est alors que la dépression, la colère et la rancune apparurent et amenèrent les parents à chercher de l'aide.

Comment résoudre une telle situation? Certains enseigneraient aux parents à exiger leur droit au respect, à l'obéissance, etc... . Certains critiqueraient Tom pour son attitude envers ses parents et lui demanderaient de les honorer. D'autres recommanderaient une punition sévère pour Tom. Qu'en pensez-vous?

De nombreux enfants, aujourd'hui, ne se sentent pas véritablement aimés de leurs parents, et pourtant j'ai rencontré très peu de parents qui ne les aimaient pas profondément. Ce n'est pas à une question d'examen que je vous demande de réfléchir, en ajoutant «comme c'est malheureux!». Non! La situation est vraiment alarmante. Il y a des dizaines de sectes ésotériques et des tas d'organisations louches qui captivent l'esprit de milliers de jeunes dans notre pays. Comment nos enfants peuvent-ils être si facilement endoctrinés, montés contre leurs parents et toute autorité et finalement contrôlés par des doctrines si bizarres? La raison principale est que ces jeunes ne se sont jamais véritablement sentis aimés par leurs parents. Ils sentent qu'ils.ont été privés de quelque chose, que leurs parents les ont privés de quelque chose. De quoi? Oui, d'amour, d'amour inconditionnel! Lorsque vous considérez le peu d'enfants qui se disent adéquatement traités, aimés et réconfortés, il n'est pas surprenant de voir tous ces groupes prendre de l'ampleur.

Pourquoi cette situation terrible existe-t-elle?

Je ne crois pas qu'il faille blâmer les parents en tant que tels. Lorsque je parle aux parents je suis content de découvrir que la plupart d'entre eux aiment leurs enfants mais qu'ils sont sincèrement intéressés par ce qu'ils peuvent faire de plus pour aider *tous* les enfants. Je découvre constamment que le problème vient de ce que les parents ne savent pas communiquer leur amour à leurs enfants.

Je ne suis pas pessimiste. En donnant des conférences un peu partout, je suis vraiment touché de voir que les parents d'aujourd'hui sont attentifs à la question et désireux de déployer d'autres efforts et d'autres ressources en faveur de leurs enfants. Beaucoup ont modifié leur relation avec leurs enfants afin de la baser sur un amour inconditionnel comme celui de la Bible. Ils ont découvert qu'une fois que cela est compris, le réservoir émotionnel de leurs enfants se remplit pour la première fois. Être parents constitue alors une relation qui apporte satisfaction et qui devient exaltante. Ces bons parents tiennent alors en main les guides qui leur permettront de savoir quand et comment intervenir auprès de leurs chéris.

COMMENT COMMUNIQUER L'AMOUR

Voyons comment on peut communiquer de l'amour à un enfant. Comme nous l'avons vu, les enfants sont des êtres émotifs qui communiquent émotivement. De plus, les enfants utilisent leur conduite pour nous traduire leurs sentiments (plus ils sont jeunes plus ils sont émotifs). Il est facile de dire comment un enfant se sent et dans quel état d'esprit il se trouve juste en le regardant. De même, les enfants ont une capacité, étrangement inquiétante, à reconnaître nos sentiments à travers notre conduite, une capacité qu'ils perdent pour la plupart quand ils atteignent l'âge adulte. À de nombreuses occasions ma fille de 16 ans m'a posé cette question: « contre quoi es-tu fâché, papa? », alors que je n'étais même pas conscient de ce sentiment. Quand je m'arrêtais pour y penser, elle avait raison.

Les enfants sont comme ça. Ils peuvent exactement capter notre état d'esprit par nos actes. C'est ainsi que si nous voulons leur démontrer que notre état d'esprit à leur égard en est un d'amour, nous devons *agir* envers eux avec amour. « Petits enfants, n'aimons pas en paroles et avec la langue, mais en actions et avec vérité[3]. »

Le but de ce livre est d'étudier comment les parents peuvent actualiser leurs sentiments d'amour. Ce n'est que de cette manière qu'ils pourront communiquer leur amour à leur enfant afin qu'il se sente vraiment aimé, accepté, respecté et capable de s'aimer et de se respecter lui-même. Ce n'est qu'à ce moment que les parents seront capables d'aider leur enfant à aimer aussi les autres inconditionnellement, particulièrement leur futur conjoint et leurs propres enfants.

Avant de nous lancer dans les découvertes qui nous montreront comment aimer un enfant, nous devons faire la supposition que les parents aiment leur enfant. C'est-à-dire, il faut présumer qu'ils seront prêts à appliquer ce qu'ils apprennent. Il y a une différence entre avoir un sentiment vague de sympathie envers un enfant et être prêt à sacrifier tout ce qui est nécessaire pour son bien. Il est plutôt inutile de continuer à lire ce livre si vous n'êtes pas prêt à étudier sérieusement ce qu'il dit, à le comprendre et à l'appliquer. Il serait facile de le lire superficiellement et de déclarer l'information donnée, simpliste et irréelle.

Il y a, grosso modo, quatre moyens par lesquels

nous pouvons communiquer de l'amour à un enfant: par le contact visuel, par le contact physique, par une attention concentrée et par la discipline. Chaque moyen est aussi important que les autres. De nombreux parents et spécialistes se concentrent sur un ou deux moyens et négligent les autres. Aujourd'hui on insiste beaucoup, souvent à l'exclusion du reste, sur la discipline. Je vois beaucoup d'enfants de parents chrétiens qui sont bien disciplinés mais qui ne se sentent pas aimés. Dans de nombreux cas, les parents ont malheureusement confondu la discipline avec la punition, comme si les deux étaient synonymes. Cela se comprend lorsqu'on prête attention aux cours qui se donnent à ce sujet. Fréquemment j'entends conseiller aux parents d'essayer d'utiliser la verge ou de pincer physiquement leur enfant sans jamais mentionner qu'il faut les aimer. On ne mentionne pas qu'il faut aussi aider l'enfant à se sentir bien dans sa peau devant ses parents ou les autres. On ne mentionne pas comment rendre un enfant heureux.

Je constate chaque jour les résultats de ce genre d'éducation. Ces enfants se conduisent assez bien lorsqu'ils sont jeunes quoiqu'ils soient généralement trop calmes, renfrognés et effacés.

Surtout, ils manquent de spontanéité, de curiosité, de la bonne exubérance enfantine d'un enfant bien nourri d'amour. Ces enfants développent très souvent des problèmes de comportement, quand ils approchent ou entrent dans l'adolescence, parce qu'ils manquent d'un lien émotif fort avec leurs parents.

Aussi, nous les parents, nous devons nous concentrer sur tous les moyens d'aimer notre enfant.

Étudions un premier moyen qui est le contact visuel.

1. Voir 1 Corinthiens 13, 4-7
2. Philippiens, 4, 19
3. 1 Jean 3, 18

4

Comment aimer votre enfant par le contact visuel

Quand nous pensons au contact visuel, il nous semble, tout d'abord, relativement peu important dans une relation avec un enfant. Cependant, quand nous travaillons avec des enfants, quand nous observons les communications entre des parents et leur enfant et que nous étudions les résultats de nos observations, nous voyons combien le contact visuel est essentiel. Le contact visuel est essentiel non seulement pour communiquer avec l'enfant mais pour combler ses besoins émotifs. Sans que l'on en soit conscient précisément, nous utilisons déjà le contact visuel comme un moyen primordial pour communiquer l'amour. surtout avec les enfants. L'enfant utilise aussi le contact visuel avec ses parents (et avec les autres) pour se nourrir émotivement. Plus les parents utilisent le contact visuel pour exprimer leur amour à leur enfant, plus l'enfant se nourrit émotivement et remplit son réservoir émotionnel.

Qu'est-ce que le contact visuel? C'est regarder directement une personne dans les yeux. La plupart des gens ne comprennent pas combien ce contact est vital. Avec-vous déjà essayé d'avoir une conversation avec quelqu'un qui regarde constamment ailleurs, qui est incapable de vous regarder en face? C'est difficile et cela affecte énormément nos sentiments envers cette personne. Nous avons tendance à aimer les gens qui sont capables de maintenir un contact visuel agréable avec nous. Le contact visuel naturellement est plus agréable lorsqu'il est accompagné de mots agréables et d'expressions faciales agréables, comme le sourire.

Malheureusement, les parents, en utilisant inconsciemment le contact visuel, envoient différents messages inconscients à leur enfant. Par exemple, des parents peuvent utiliser un contact visuel d'amour, seulement dans certaines circonstances, comme lorsque l'enfant a bien travaillé et a rempli de fierté ses parents. L'enfant interprète cela comme de l'amour conditionnel. Comme nous l'avons dit, un enfant ne peut pas grandir et se développer correctement dans de telles circonstances. Si nous aimons un enfant profondément, nous devons lui donner des contacts visuels appropriés à notre amour. Autrement il captera un mauvais message et ne se sentira pas réellement (inconditionnellement) aimé.

Il est facile pour les parents d'acquérir la terrible habitude d'utiliser le contact visuel principalement lorsqu'ils veulent parler sérieusement à leur enfant, surtout négativement. Nous trouvons qu'un enfant est plus attentif lorsque nous le regardons droit dans les yeux et nous apprenons à faire cela surtout pour donner des ordres, reprendre et critiquer. Ceci est une erreur désastreuse. Cet emploi inconscient du contact visuel, réservé à une situation de discipline ne semble pas poser de problème tant qu'un enfant est jeune. Mais pensez aussi que le regard des parents est une des principales nourritures émotives de l'enfant. Lorsqu'un parent utilise inconsciemment ce puissant moyen de contrôle mis à sa disposition, surtout dans un sens négatif, l'enfant ne peut pas s'empêcher de voir ses parents avant tout de façon négative. Même si cela semble donner de bons résultats dans la petite enfance, c'est, en fait, par crainte que l'enfant obéit et se soumet. Lorsqu'il grandit, la crainte cède la place à la colère, la rancune et la dépression. Relisez l'histoire de Tom, c'est ce qu'elle nous raconte.

Oh! Si seulement ses parents avaient su! Ils aimaient Tom profondément mais ils n'étaient pas conscients qu'ils ne lui donnaient que rarement un contact visuel, lorsqu'ils voulaient lui donner des instructions précises, ou le réprimander. Tom, au fond de lui savait que ses parents l'aimaient d'une manière ou d'une autre mais à cause de cette mauvaise utilisation de ce moyen délicat qu'est le contact visuel, Tom avait toujours été troublé et désorienté quant aux véritables sentiments de ses parents à son égard. Rappelez-vous ce qu'il disait: «personne ne s'occupe de moi, si ce n'est mes amis...». Alors que je répliquais «personne?», il m'avait répondu: « mes parents, je suppose. Je ne sais pas. ». Tom savait qu'il devait être aimé mais il ne le sentait pas.

Une habitude encore plus nocive dans laquelle les parents peuvent tomber, est d'éviter le contact visuel comme forme de punition. Ceci est cruel et nous le faisons parfois à nos conjoints (allons, admettez-le!). Le refus conscient de regarder un enfant en face est généralement plus pénible qu'une punition physique. Cela peut être dévastateur. Cela peut être un des incidents de la vie d'un enfant qu'il n'oubliera jamais.

Plusieurs situations vécues entre parents et enfants peuvent avoir des effets pour la vie, situations qu'un enfant et parfois un parent n'oublie jamais. Le refus prémédité de regarder un enfant pour lui signifier qu'on le désapprouve peut être une de ces circonstances où l'on manifeste de façon flagrante un amour conditionnel. Un parent sage fera tout en son pouvoir pour l'éviter.

Nos façons de manifester notre amour à un enfant ne devraient pas être contrôlées par le fait que nous sommes satisfaits ou non. Nous devons manifester notre amour avec uniformité, sans défaillance, quelle que soit la situation. Nous pouvons sanctionner une mauvaise conduite autrement, de façon à ne pas entraver notre amour. Nous reparlerons de la discipline et des moyens de l'appliquer sans briser notre lien d'amour. Ce que nous devons comprendre ici, c'est que les parents doivent utiliser le contact visuel comme une façon permanente de véhiculer leur amour et non comme un simple moyen de discipline.

NOUS SOMMES LEURS MODÈLES

Nous savons tous que les enfants apprennent par imitation, en se modelant sur des exemples. Les enfants apprennent donc l'art et l'usage du contact visuel de cette façon-là également. Si nous donnons à un enfant un contact visuel continu, aimant et positif, il fera la même chose. Si nous n'utilisons le contact visuel que pour accentuer nos irritations, il fera de même.

Observez un enfant qui a l'air déplaisant et même antipathique. La plupart du temps, il ne vous regarde que par courtes périodes de temps lorsqu'il vous voit pour la première fois, et ensuite, seulement lorsque vous avez quelque chose de particulièrement intéressant à lui dire ou à lui proposer. À part cela, il évite de vous regarder. Ce contact visuel fugace est ennuyeux, désagréable et même méchant. Observez alors la façon dont ses parents le regardent. N'est-ce pas pareil?

Imaginez quel désavantage marqué cet enfant a, et aura, tout au long de sa vie. Imaginez comme il lui sera difficile de développer des amitiés et d'autres relations intimes. Comme il sera rejeté et détesté par ses copains, non seulement maintenant mais probablement toute sa vie, car il a peu de chances de briser ce schéma de communication. Premièrement, il ne sait pas qu'il agit ainsi, et deuxièmement, il ne pourra changer ce schéma que si ses parents changent eux-mêmes leur façon de le regarder. Ce serait là sa meilleure chance.

En exemple de cet handicap, je peux citer une expérience réalisée dans un département de pédiatrie d'un hôpital général. Le chercheur s'était placé au bout du couloir et notait le nombre de fois que les infirmières et les aides entraient dans la chambre de chaque enfant. Il remarqua que certains enfants étaient visités beaucoup plus souvent que d'autres. Au départ, des motifs semblaient évidents; ils étaient en corrélation avec la gravité de la maladie de l'enfant et la quantité de soins dont il avait besoin. Mais ces motifs, à eux seuls, n'expliquaient pas les grandes différences dans la quantité de contacts donnés aux patients. Vous l'avez probablement deviné, plus les enfants étaient populaires, plus ils recevaient d'attention. Chaque fois qu'une infirmière ou un volontaire avait un moment libre ou le choix d'aller dans une chambre ou une autre, il choisissait naturellement l'enfant qui communiquait de la façon la plus agréable.

Qu'est-ce qui faisait la différence entre un enfant agréable ou non? Il y avait plusieurs raisons, comme la vivacité, la capacité verbale et la spontanéité, mais le facteur le plus plausible était le contact visuel. Les enfants les moins populaires regardaient d'abord le visiteur brièvement puis immédiatement regardaient par terre ou ailleurs. Les enfants qui évitaient le contact visuel rendaient la communication difficile et les adultes étaient naturellement mal à l'aise avec eux. Les infirmières ou les volontaires, ne comprenant pas leur responsabilité d'engager la communication, se méprenaient sur ces enfants et pensaient qu'ils voulaient être seuls ou qu'ils ne les aimaient pas. C'est alors que l'on évitait ces enfants qui se sentaient encore moins aimés, plus repoussés et sans valeur.

Cela arrive dans des milliers de foyers. Cela est arrivé chez Tom, et aurait pu être corrigé par un contact visuel continu sympathique et agréable de ses parents (l'amour inconditionnel). S'ils avaient su cela, ainsi que d'autres faits fondamentaux au sujet de l'amour des enfants, et dont nous parlerons plus loin, ils n'auraient pas eu ces problèmes avec leur garçon.

LE SYNDROME DE L'ARRÊT DE CROISSANCE (HOSPITALISME)

Une autre découverte importante pour notre recherche a aussi été faite au département de pédiatrie d'un hôpital universitaire. Nous étions en train d'étudier le syndrome de l'arrêt de croissance. Dans cette maladie, un enfant, généralement entre 6 et 12 mois, cesse de se développer. Souvent, il arrête de manger et de grandir, devient apathique et léthargique et peut même mourir sans raison apparente. Tous les tests et les examens physiques sont normaux. Pourquoi un enfant perd-il le désir de vivre? Dans la plupart des cas nous savons que les parents ont rejeté l'enfant, souvent inconsciemment. Comme ils sont incapables de comprendre leurs sentiments de rejet vis-à-vis de leur enfant, ils rejettent alors inconsciemment celui-ci à travers leur comportement. Ces parents évitent surtout le contact physique et visuel avec leur enfant. À part cela, ils semblent faire leur devoir de parents, comme tout le monde, fournissant aliments, vêtements, etc...

Le syndrome de l'arrêt de croissance est un phénomène effrayant mais il y a d'autres découvertes qui le sont encore plus. Pendant les bombardements aériens allemands à Londres, lors de la deuxième guerre mondiale, de nombreux jeunes enfants avaient été évacués hors de la ville, pour leur protection, et placés avec des adultes à la campagne. Leurs parents étaient restés à Londres. Ces enfants étaient bien soignés physiquement, ils étaient lavés, nourris et confortablement installés. Émotivement cependant, ils se sentaient gravement lésés car il n'y avait pas assez d'employés pour leur donner les soins émotifs du contact visuel et physique.

La plupart de ces enfants restèrent perturbés physiquement et handicapés. Il aurait été préférable de les garder avec leurs mères, les conséquences des dommages émotifs étant plus nuisibles que le danger de blessures physiques.

Les pièges qui attendent un enfant émotivement faible sont effrayants. Parents, faites des enfants forts! Votre plus grand outil est l'amour sans réserve (inconditionnel).

LE CONTACT VISUEL DANS LES PROCESSUS D'APPRENTISSAGE

Le travail que je fais dans le cadre du « programme Headstart» me permet d'enseigner avec plaisir à des professeurs épatants l'art du contact visuel et du contact physique, et de leur montrer combien ces contacts affectent l'anxiété et la capacité d'apprendre d'un enfant.

Un professeur pourra évaluer qu'un enfant de trois ou quatre ans, est manifestement anxieux, craintif et immature, par la difficulté qu'il a de provoquer ou de maintenir un contact visuel. Les plus légères privations émotives, comme d'autres plus fortes, peuvent amener un enfant à avoir des difficultés avec le contact visuel.

Un enfant extrêmement anxieux aura des problèmes à aborder les adultes (et souvent ses copains), alors qu'un enfant bien nourri émotivement sera capable d'approcher son maître en allant directement vers lui, en faisant un contact visuel franc et sans hésitation, en disant clairement ce qu'il veut, par exemple: «puis-je avoir une feuille de papier?». Plus un enfant sera émotivement fragile plus il aura de la difficulté à faire cela.

Dans une classe moyenne, il n'est pas difficile de

trouver au moins un enfant (généralement un garçon) si anxieux et craintif qu'il ne peut pas faire un bon contact visuel. Il parle avec beaucoup d'hésitation, souvent en regardant furtivement les réactions, et il approche son professeur de côté ou à l'oblique. Parfois l'enfant ne sera capable d'approcher son maître qu'en marchant à reculons. Naturellement ces enfants ont de la difficulté à apprendre car ils sont trop anxieux et tendus.

En présence d'un enfant si malheureux, je conseille au professeur de s'asseoir face à l'enfant, à une même table, et de lui enseigner quelque chose. Je lui conseille ensuite de toucher l'enfant et d'établir autant de contacts visuels qu'il peut en supporter tout en lui parlant. Quelque temps après, le professeur recommencera tout en lui enseignant quelque chose d'autre. Le professeur sera étonné, et je le suis aussi, de voir combien il est plus facile pour l'enfant d'apprendre alors que ses besoins émotifs sont d'abord satisfaits. Avec le contact physique et visuel, le maître libère les peurs et l'anxiété de l'enfant et augmente son sentiment de sécurité et de confiance. Cela, en retour, lui permet de mieux apprendre. C'est simple, n'est-ce pas? Alors pourquoi ne le faisons-nous pas plus souvent? Probablement par peur de ne pas paraître professionnel ou encore par peur de gâter l'enfant, ou par crainte de lui faire du tort d'une manière indéfinie. Mais s'il y a une chose dont nous n'avons pas à nous inquiéter, c'est de donner trop d'amour à un enfant.

DANS UNE NOUVELLE MAISON

Je suis très heureux en tant que parent, d'avoir appris l'importance du contact visuel car j'ai constaté un changement avec mes propres enfants. Je n'oublierai jamais le jour où nous avons déménagé dans notre nouvelle maison. Nos garçons avaient à l'époque six et deux ans et étaient heureux, pleins d'énergie et normalement indépendants. Une semaine après le déménagement, nous avons remarqué un changement en eux. Ils étaient devenus pleurnichards, collants, facilement bouleversés, irritables, se battaient fréquemment et étaient constamment dans nos jambes. Durant cette semaine-là, ma femme, Pat, et moi-même, nous étions très occupés à mettre la maison en ordre, et pressés de le faire avant que je prenne de nouvelles fonctions. Le comportement de nos garçons nous irritait et nous embêtait tous les deux mais nous nous disions que c'était à cause du déménagement.

Une nuit que je pensais à nos garçons, j'essayai de m'imaginer à leur place. Le problème de leur mauvaise conduite s'éclaira subitement. Pat et moi-même, étions tout le temps avec les garçons et nous leur parlions fréquemment; mais nous étions tellement acharnés dans notre travail que nous ne leur donnions jamais vraiment une attention soutenue, nous n'avions avec eux ni contact visuel ni contact physique. Leur réservoir émotionnel était à sec et, par leur comportement, ils nous demandaient « nous aimez-vous? ». D'une façon puérile, irrationnelle, ils nous demandaient « nous aimez-vous maintenant que nous vivons dans une nouvelle maison? Les choses sont-elles toujours les mêmes entre nous? Nous aimez-vous encore? ». Cela est tellement typique des enfants à l'occasion d'un changement.

Aussitôt que je compris le problème, j'en fis part à Pat. Elle fut un peu sceptique au début, mais au point où nous en étions, elle était prête à essayer n'importe quoi.

Le lendemain, nous avons donné à nos fils des contacts visuels chaque fois que nous le pouvions, lorsqu'ils nous parlaient (écoute active) et lorsque nous leur parlions. Chaque fois qu'il était possible, nous les avons touchés et pris dans nos bras, et leur avons manifesté une attention soutenue. Le changement fut surprenant. Alors que leurs réservoirs émotionnels se remplissaient, ils redevinrent comme avant des garçons joyeux, radieux, pleins de vie et bientôt, ils passèrent moins de temps dans nos jambes et plus de temps à jouer ensemble avec plaisir. Pat et moi, nous considérâmes que nous avions bien employé notre temps car nous l'avions regagné amplement une fois que les garçons ne furent plus sur notre chemin. Cependant, le plus important, c'est qu'ils étaient à nouveau heureux.

Laissez-moi vous donner un exemple de plus, de l'importance du contact visuel. Les yeux d'un enfant commencent à fixer les objets entre 2 et 6 semaines. Une des premières images qui retiennent son attention, est le visage humain, et en particulier, les yeux.

Après 6 ou 8 semaines, vous remarquez que les yeux d'un enfant sont constamment en mouvement et semblent chercher quelque chose. Ses yeux ressemblent alors à deux radars. Savez-vous ce qu'ils recherchent? Je pense que vous le savez déjà: ils recherchent d'autres yeux. Et dès l'âge de deux mois, ses yeux fixent les autres yeux. Déjà, l'enfant se nourrit émotivement et, même à cet âge précoce, son réservoir émotionnel a besoin d'être rempli. Impressionnant, n'est-ce pas? Il est donc évident que la façon dont un enfant communique avec le monde et exprime ses sentiments envers son entourage, se constitue très tôt dans sa vie. La plupart des chercheurs déclarent que la personnalité fondamentale d'un enfant, ses façons de penser, de parler et d'autres traits importants sont bien établis alors qu'il atteint l'âge de cinq ans.

Nous ne pouvons jamais commencer trop tôt à donner à un enfant une affection continue, chaleureuse et soutenue. Il doit recevoir cet amour inconditionnel afin de faire face efficacement à notre monde actuel. Nous avons un outil simple mais extrêmement puissant pour le lui manifester. N'utilisons pas le contact visuel improprement comme un moyen de dominer, tel que nous l'avons vu. Chaque parent doit utiliser le contact visuel pour transmettre un amour sans condition.

5

Comment aimer votre enfant par le contact physique

Il semble que le moyen le plus évident de manifester notre amour à un enfant est le contact physique. Il est surprenant cependant de constater que les études faites à ce sujet démontrent que la plupart des parents ne touchent leur enfant que lorsque cela est vraiment nécessaire, comme pour les aider à s'habiller, à se déshabiller ou à entrer dans la voiture. En dehors de ces obligations, peu de parents prennent avantage de ce moyen facile et agréable de donner à leur enfant cet amour inconditionnel dont ils ont désespérément besoin. Il est rare de voir un parent prendre l'initiative, sans raison apparente, de toucher son enfant.

Quand je parle de contact physique, je ne parle pas seulement de baisers, d'étreintes et de choses semblables; je parle de toutes sortes de contacts physiques comme mettre la main sur l'épaule d'un enfant, lui donner une bourrade amicale, lui ébouriffer les cheveux. En observant de près de nombreux parents on peut constater qu'en fait ils cherchent à avoir le moins de contacts physiques possible. C'est comme si ces pauvres parents croyaient que leur enfant était une poupée mécanique qu'il fallait tout simplement entraîner à marcher et à se comporter correctement avec le minimum d'aide de leur part. Ces parents ne se doutent pas des occasions extraordinaires qu'ils manquent alors qu'ils ont entre les mains un moyen d'assurer la sécurité émotive de leur enfant et leur propre succès.

Il est touchant de voir les parents qui ont découvert ce secret du contact physique joint au contact visuel. L'été dernier mon garçon de huit ans jouait dans une ligue junior de baseball, et j'allais m'asseoir sur les gradins pour le voir jouer. Pendant le jeu, j'aimais particulièrement regarder un père qui avait découvert le secret du contact physique et visuel. Très souvent son garçon courait vers lui pour lui raconter quelque chose. Il était évident qu'il y avait entre eux un très fort lien affectif. Quand ils se parlaient, leurs yeux se regardaient mutuellement, sans hésitation et leurs échanges verbaux étaient accompagnés de beaucoup de contacts physiques appropriés, en particulier lorsque quelque chose de drôle était dit. Ce père mettait fréquemment sa main sur le bras de son fils, ou son bras autour de ses épaules et parfois, il lui donnait une tape sur le genou. Parfois, il lui caressait le dos ou il l'attirait à lui, particulièrement lorsqu'il y avait un commentaire humoristique qui se faisait. Il est certain que ce père utilisait le contact physique chaque fois qu'il le pouvait, aussi longtemps que cela leur était agréable et que cela restait convenable. De temps en temps, le père venait avec sa fille adolescente voir jouer le garçon. Elle s'asseyait à côté de son père ou juste en avant de lui. Là encore, ce père aimant et rempli de savoir-faire communiquait avec sa fille d'une manière satisfaisante. Il utilisait beaucoup de contacts visuels et physiques mais, du fait de son âge, il ne la tenait pas sur ses genoux, ni ne l'embrassait comme il l'aurait fait si elle avait été plus jeune. Fréquemment il touchait légèrement sa main, son bras, son épaule ou son dos. À l'occasion, il lui donnait une tape sur le genou ou se penchait brièvement vers elle, surtout lorsque quelque chose de drôle se passait.

DEUX DONS PRÉCIEUX

Les contacts physiques et visuels doivent être intégrés à tous nos agissements quotidiens avec nos enfants. Ils devraient être naturels et aisés sans devenir exagérés. Un enfant qui grandit dans un foyer où ces moyens de communications sont employés sera à l'aise avec lui-même et les autres. Il lui sera facile d'aborder les autres et il sera alors plus apprécié et aura une bonne opinion de lui-même. Les contacts physiques et visuels fréquents et convenables sont deux cadeaux précieux que nous pouvons donner à notre enfant. Ils sont, avec l'attention concentrée (voir chapitre VI), les moyens les plus efficaces pour remplir le réservoir émotionnel d'un enfant et lui permettre de développer au maximum toutes ses capacités.

Il est malheureux que les parents de Tom n'aient pas découvert le secret de ces contacts. Nous avons vu au chapitre précédent comment ils avaient mal employé le contact visuel. Ces parents pensaient aussi que le contact physique était réservé aux filles car « elles avaient besoin d'affection », mais que les garçons eux, devaient être traités comme des hommes. Ils pensaient que l'affection ferait de Tom un efféminé et l'amènerait à l'homosexualité. Ces parents éprouvés n'avaient pas compris que c'est le contraire qui est vrai: si les besoins émotifs de Tom avaient été comblés par des contacts physiques et émotifs venant en particulier de son père, il se serait identifié encore plus au sexe de son père et il aurait été encore plus masculin.

Ces parents pensaient aussi que lorsqu'un garçon grandit, ses besoins affectifs et particulièrement l'affection physique, cessent. En réalité, le besoin de contact physique d'un garçon ne cesse jamais, bien que le genre de contact physique dont il a besoin change.

Lorsqu'il est bébé, il a besoin d'être porté, cajolé, caressé, embrassé, chatouillé. Ce genre d'affection physique pour le garçon est essentiel de la naissance jusqu'à l'âge de sept ou huit ans — et j'insiste, elle est déterminante. Des recherches indiquent que les bébés filles de moins de 12 mois reçoivent cinq fois plus d'affection physique que les bébés garçons. Je suis convaincu que cela est une des raisons pour lesquelles les jeunes garçons à partir de trois ans jusqu'à l'adolescence ont beaucoup plus de problèmes que les filles. On voit jusqu'à six fois plus de garçons que de filles, dans nos cliniques psychiatriques, mais à l'âge de l'adolescence, cette proportion change: on voit alors plus de filles que de garçons.

Il est donc très important pour un garçon de recevoir autant d'affection qu'une fille pendant sa petite enfance (et souvent, il en a encore plus besoin). En grandissant, même s'il a moins besoin de baisers et d'étreintes, il continue d'avoir besoin de contacts physiques. On peut lui donner alors une affection plus gaillarde qui s'exprimera dans des jeux de contacts amicaux, comme des jeux de mains, des prises, des placages ou des bagarres simulées de boxe et de lutte ou par des accolades et des poignées de main chaleureuses. Ce sont là des façons d'établir des contacts physiques et de prêter attention à un garçon, aussi authentiques que les baisers et les caresses. Ce qu'il ne faut pas oublier cependant c'est qu'un enfant a toujours besoin de ces deux styles d'affection.

En grandissant, mes garçons deviennent de moins en moins réceptifs aux baisers, aux caresses et aux étreintes. Il y a, cependant, des moments où ils en ont encore besoin, et il faut que je discerne ces moments-là qui arrivent généralement lorsqu'ils se sont fait mal physiquement ou moralement, ou lorsqu'ils sont très fatigués, malades, ou dans des occasions comme à l'heure du coucher, ou lors d'un événement triste.

Souvenez-vous de ce que nous avons déjà dit; il y a des moments précis dans la vie d'un enfant qui sont tellement significatifs qu'il ne les oubliera jamais. Ces moments font partie des occasions spéciales où il faudrait donner à nos enfants, surtout lorsqu'ils approchent de l'adolescence, un contact physique affectueux (étreintes et baisers). Ces moments remonteront à la mémoire de votre enfant lorsqu'il aura à se débattre avec les tiraillements douloureux de l'adolescence et des situations de conflit avec l'autorité parentale. Plus il aura de souvenirs doux, mieux il sera capable de faire face aux remous de l'adolescence.

Ces occasions spéciales sont plutôt rares. Un enfant passe rapidement d'un état d'âme à un autre et avant même que nous nous en apercevions, les chances de lui donner ce dont il a besoin sont déjà passées. Cela doit nous faire réfléchir.

Il y a un autre point que j'aimerais souligner au sujet de l'affection physique qu'il faut donner aux garçons. Il semble facile de donner de l'affection à un garçon alors qu'il est tout jeune, surtout vers 12 et 18 mois. Quand il grandit, cela devient plus difficile. Pourquoi? On croit généralement que la manifestations de l'affection est féminine. Il y a aussi le fait que les garçons en grandissant sont moins attachants. Pour beaucoup de personnes, un garçon de 7 ou 8 ans est peu sympathique, plutôt irritant et souvent grotesque. Afin d'être capable de lui donner ce dont il a besoin émotivement, il nous faut reconnaître en nous-mêmes ces sentiments négatifs, les rejeter et faire ce que nous devons en tant que mère ou père.

Parlons maintenant des filles et de leurs besoins. Les filles en général, pendant leurs premières sept ou huit années, ne manifestent pas très ouvertement leurs privations émotives. En d'autres mots, elles ne démontrent pas leurs besoins affectifs d'une manière aussi évidente que les garçons. J'ai vu de nombreux enfants émotivement carencés, et il est très facile de repérer les garçons qui souffrent car leur détresse, généralement saute aux yeux. Les filles semblent plus prédisposées à renfermer leurs émotions et semblent moins marquées par le manque de soins affectifs *avant* l'adolescence. Que cela ne vous trompe pas! Bien qu'elles montrent moins leur tourment quand elles sont jeunes, elles souffrent intensément si l'on ne prend pas correctement soin d'elles et cela devient très évident un peu plus tard, particulièrement durant l'adolescence.

On peut y trouver une raison en rapport avec le contact physique. On sait que, chez le garçon, les contacts physiques de tendresse, exprimés par des baisers et des caresses, sont importants pour lui surtout pendant ses premières années. Chez une fille, le besoin de ces contacts physiques tendres, loin de diminuer avec l'âge, augmente et atteint son paroxysme vers l'âge de 11 ans. Rien ne me bouleverse plus que de voir une petite fille de 11 ans qui ne reçoit pas une quantité suffisante de nourriture émotive. C'est un âge critique.

LE CHANGEMENT DE PERSONNALITÉ DE SHARON

«Je n'arrive pas à le croire. Sharon a tellement changé», s'exclamait sa mère lors d'une première visite chez moi au sujet de sa fille de 15 ans. «Elle a toujours été une fille calme, réservée, qui ne s'emporte pas facilement. En fait, il fallait même la forcer à réagir, en particulier pendant les derniers mois. Il y a un certain temps, je ne pouvais rien lui faire faire. Elle semblait fatiguée de la vie et elle avait perdu tout intérêt dans son travail d'école. Elle semblait ne plus avoir d'énergie. J'ai amené Sharon chez le pédiatre mais il n'a rien trouvé d'anormal chez elle. J'ai parlé ensuite avec le conseiller scolaire et avec ses professeurs. Eux aussi étaient inquiets de son attitude et de son manque d'intérêt. Quelques amis me dirent de ne pas m'inquiéter, que cela passerait. Je souhaitais qu'ils aient raison mais j'en doutais. Puis un jour, une de mes amies, qui avait une fille de l'âge de Sharon, m'a téléphoné et m'a dit que sa fille croyait que Sharon se droguait. Je ne pouvais pas le croire mais je me suis mise à fouiller sa chambre et j'ai trouvé de la marijuana.

Pour la première fois de sa vie, elle m'a fait une scène horrible. Elle a crié, hurlé après moi, en me disant que je l'épiais et que je n'avais aucun droit de violer son intimité. J'ai été bouleversée de sa méfiance.

Cela a été le commencement d'un changement radical. Maintenant elle est constamment en colère, pleine de haine. Elle veut sortir avec les pires garnements de l'école et je suis épouvantée à l'idée de ce qu'ils peuvent faire.

Maintenant tout ce qui l'intéresse c'est d'être loin de la maison avec ses crétins d'amis. Que va-t-elle devenir, docteur Campbell? Nous ne pouvons plus la contrôler.»

Je lui ai demandé si Sharon agissait de la même manière avec son père.

«Je ne sais trop pourquoi mais elle agit mieux avec lui; bien que lui aussi trouve qu'il est de plus en plus difficile de raisonner avec elle. Il est si peu souvent à la maison que de toute façon il n'est pas d'une très grande aide. Il est très occupé et la plupart du temps, il n'est pas là... Et lorsqu'il est là, il n'a pas beaucoup de temps à nous consacrer. Les enfants l'aiment beaucoup et cherchent sa compagnie, seulement, la plupart du temps, il leur parle de ce qu'ils n'ont pas fait de bien et de ce qu'ils devraient faire. Il aime les enfants, je le sais, mais c'est comme ça qu'il agit».

Voici donc une histoire triste mais courante. Une fille normale et douée qui, jusqu'à l'âge de 13 ans, fut ouverte, docile et facile à aimer. Une fille dont le souci principal était, comme tout autre enfant, de savoir si ses parents l'aimaient. Pendant ces treize années, ses parents auraient eu maintes occasions de répondre à sa question et de lui prouver leur amour. Comme toute fille de son âge, son besoin d'un amour tangible avait augmenté avec les années et atteint son paroxysme vers l'âge de onze ans, âge ultra-critique où les filles ont un besoin presque désespéré de contacts visuels abondants, d'attention soutenue et entre autres de contacts physiques venant surtout de leur père.

PRÉPARATION À L'ADOLESCENCE

Pourquoi la tendresse est-elle si nécessaire aux filles à l'âge de la pré-adolescence? La réponse est simple: pour se préparer à l'adolescence. Chaque fillette entre dans l'adolescence avec un certain degré de préparation. Il y en a qui sont bien préparées, d'autres très mal.

Les deux aspects les plus importants de cette préparation chez les filles concernent l'image de soi et l'identité sexuelle. Considérons d'abord l'aspect de l'identité sexuelle chez une petite fille qui grandit. Comme nous l'avons déjà dit, le besoin d'affection d'une fille augmente avec l'âge. Quand elle approche de l'adolescence, elle sait intuitivement ou indirectement que la façon dont elle vivra ces années turbulentes dépend de la façon dont elle se perçoit. Il est très important qu'elle se sente bien dans sa peau de femme. Si cela est le cas au moment où elle entre dans l'adolescence (entre 13 et 15 ans). son adolescence sera relativement facile, agréable et aisée, malgré les hauts et les bas inévitables. Plus son identité sexuelle sera stable et saine, plus elle sera capable de résister aux pressions de ses pairs. Mais, si déjà elle ne se sent pas parfaitement aimée en tant que femme, elle sera instable. Elle sera plus susceptible de céder aux pressions de ses camarades

— surtout celles des garçons — et moins capable de conserver les valeurs de ses parents.

L'identité sexuelle pour elle, c'est s'approuver et s'accepter en tant que femme. La jeune fille à cet âge acquiert les caractères heureux de son identité, principalement sous l'influence de l'attitude de son père, dans la mesure où celui-ci est présent à la maison. Si le père est mort ou coupé de relations avec sa fille, celle-ci doit chercher d'autres figures paternelles pour le remplacer. Mais si le père entretient quelque relation avec sa fille, il est la première personne qui peut l'aider à acquérir cette identité et la préparer ainsi à l'adolescence. Quelle responsabilité!

Un père peut aider sa fille à s'accepter en lui démontrant qu'il l'accepte lui-même. Il réalise cela en appliquant les principes que nous avons présentés jusqu'à présent — l'amour inconditionnel, les contacts visuels et physiques — et en appliquant l'attention concentrée. Une fille a besoin que son père lui démontre son affection à partir de l'âge de deux ans. Ce besoin bien qu'important avant cet âge devient plus grand au fur et à mesure que l'enfant grandit et approche l'âge presque magique de 13 ans, l'âge de l'adolescence.

Notre société doit faire face au problème suivant: Les pères en général, se sentent mal à l'aise pour manifester franchement à leurs filles l'affection dont elles ont besoin en grandissant, particulièrement autour de 10 ou 11 ans. C'est ainsi que, lorsqu'une fille arrive à l'âge où elle a le plus besoin de l'affection de son père, celui-ci commence à se sentir mal à l'aise et gêné dans les contacts physiques. Cela est terriblement malheureux. Pères, nous devons oublier notre malaise et donner à nos filles l'affection qui leur est vitale durant leur vie entière.

LE JUGE DE NOTRE COUR JUVÉNILE

Comme la plupart des pères, j'ai aussi de la difficulté à donner à mes enfants tout ce dont ils ont besoin émotivement — en particulier le contact physique à ma fille adolescente et l'attention soutenue. Très souvent, le soir, je rentre du travail complètement vidé physiquement et émotivement. Après m'être donné à mon travail, comment puis-je encore trouver l'énergie et les ressources dont ma famille et surtout ma fille ont besoin à ce moment? Dernièrement, ma fille recherchait mon aide à la suite d'une mauvaise histoire qui s'était passée dans son groupe où une camarade avait été hostile envers elle, peut-être par jalousie. Ma fille ne comprenant pas qu'il s'agissait de jalousie, se sentait coupable. Dans un tel cas, je savais ce que je devais faire. Je devais aller dans sa chambre, parler avec elle de ce qui la préoccupe, la réconforter par des contacts visuels et physiques dont elle a besoin, et attendre patiemment qu'elle se décide à partager avec moi sa douleur et sa confusion. Alors je pourrais l'aider à clarifier la situation. Après cela, la réalité faisant jour, elle comprendrait qu'elle n'a rien fait de mal et qu'elle ne doit pas s'affliger. Elle percevrait alors la situation assez clairement pour pouvoir éviter des difficultés similaires.

De toute façon, c'est ainsi que j'aimerais que les choses se passent mais j'ai rarement l'énergie et l'enthousiasme pour m'y consacrer. La plupart du temps tout ce dont j'ai envie en arrivant du travail, c'est de manger, de m'asseoir dans mon fauteuil favori, lire le journal et relaxer.

Laissez-moi vous dire ce qui m'aide à surmonter cette inertie. Quand ma fille, ou un de mes fils, a besoin de moi et que tout mon corps est attaché comme un aimant au fauteuil ou au lit, je pense à un de mes amis, notre bon juge de la cour juvénile. J'estime et respecte profondément ce juge. Une des choses les plus terribles, les plus humiliantes et tragiques qui pourraient arriver à ma famille ou à moi-même, serait d'être obligé de comparaître devant sa cour avec un de mes enfants accusé, disons, d'usage de drogues. Je me dis: « Campbell, un enfant sur six comparaît devant la cour juvénile. Si tu veux être sûr que ce ne sera pas un des tiens, il vaut mieux que tu te bouges plutôt que de penser à toi ». La simple pensée de comparaître devant le juge avec mon enfant sous une accusation quelconque m'est insupportable. Généralement, à cette pensée, je sors de mon apathie et je sais ce que j'ai à faire en tant que père. Revenons au contact physique. Je songeais un jour à son importance, au fait qu'il était essentiel. Et pourtant la plupart des parents le considèrent comme futile et allant de soi: Ils croient qu'ils le font mais c'est rarement le cas. Alors que j'essayais de trouver un exemple pour illustrer tout cela, ma chère femme tomba par hasard sur un article du Saturday Evening Post, du mois d'août 1976, qui parlait des cultes religieux et en particulier de l'Église de l'Unification et des Moonistes. Un jeune homme interviewé racontait comment il avait eu le cerveau lavé par ces gens.

Leur technique la plus persuasive est la suivante: Dans une atmosphère très chargée émotivement, et entouré par plusieurs Moonistes, le jeune fut obligé de penser à son enfance et de se rappeler des moments pénibles. Il leur raconta un incident survenu à l'âge de trois ans. Il se souvenait s'être senti seul et découragé et d'avoir essayé de trouver du réconfort physique auprès de sa mère. Celle-ci n'avait pas eu de temps à lui consacrer à ce moment et il s'était senti rejeté. C'est alors que les Moonistes l'étreignirent (contact physique) de façon répétée, en lui disant qu'eux, ils l'aimaient (sous-entendant naturellement que sa mère ne l'aimait pas).

N'est-ce pas effrayant? Le fait qu'il y ait des dizaines de cultes religieux qui cherchent aujourd'hui autour de nous à capturer l'esprit de nos enfants est alarmant. Mais ce qui l'est encore plus, c'est qu'ils y réussissent parce que les parents négligent de combler les besoins émotifs de base de leurs enfants en leur manifestant un amour inconditionnel.

Les parents manquent à leur tâche et les statistiques nous le rappellent.

Bien sûr, c'est un fait que la plupart des parents aiment leurs enfants, mais le problème fondamental encore une fois, c'est qu'ils ne sont pas conscients qu'ils *doivent* leur communiquer leur amour *avant tout autre chose;* avant d'éduquer, de guider, avant de se donner en exemple, avant de discipliner. L'amour inconditionnel doit être la base de toute relation avec un enfant sinon tout le reste demeurera imprévisible, en particulier leur comportement.

Mais ne soyons pas pessimistes. Nous avons un sujet d'encouragement car nous savons maintenant quel est le problème et comment y remédier. Les réponses sont raisonnables. Je suis convaincu que la majorité des parents, parce qu'ils aiment leur enfant, peuvent apprendre à lui communiquer cet amour. Ce qui m'inquiète, c'est plutôt de savoir comment ce message parviendra à tous les parents. Tous les parents bien intentionnés doivent avoir l'occasion de considérer ces problèmes. Cela exige l'implication de plusieurs personnes.

6

Comment aimer votre enfant par l'attention concentrée

Les contacts visuels et les contacts physiques demandent rarement de véritables sacrifices de la part des parents. L'attention concentrée, cependant, exige du temps et parfois beaucoup de temps. Cela peut signifier que les parents laissent de côté autre chose qu'ils auraient aimé faire. Des parents aimants discerneront des moments où l'enfant a désespérément besoin d'attention concentrée, même dans les moments où ils ont moins envie de la lui donner.

Qu'est-ce que l'attention concentrée? C'est de donner à un enfant une attention totale et non divisée, de façon à ce qu'il sente, sans doute possible, qu'il est complètement aimé, qu'il a suffisamment de valeur *en lui-même* pour justifier un intérêt sans distraction, une appréciation et une considération sans compromis de la part de ses parents.

Certains parents peuvent penser que cela va trop loin, mais si on lit bien la Bible on y découvre cette haute estime qu'elle a des enfants. Pensez à l'intérêt que le Christ leur a porté[1]. Les Psaumes également soulignent leur valeur[2] et la Génèse les considère comme des dons de Dieu[3].

Il faudrait qu'un enfant sente qu'il est unique au monde. Il y a peu d'enfants qui ont ce sentiment mais quelle différence s'effectue dans ce petit être quand il sait qu'il est spécial. Seule l'attention concentrée peut l'amener à réaliser et connaître ce fait qui est très important pour le développement de l'estime personnelle et qui affecte profondément la capacité de communiquer avec les autres et de les aimer.

Selon mon expérience, l'attention concentrée est le besoin le plus exigeant d'un enfant et nous, les parents, avons beaucoup de difficultés à le reconnaître et encore plus à le remplir. Nous pensons souvent que tout ce que nous faisons pour un enfant est suffisant. Nous lui achetons des douceurs, nous lui offrons des cadeaux, nous lui accordons des faveurs spéciales et nous pensons que cela peut remplacer le don de notre attention concentrée. Nos gentillesses sont bonnes mais c'est une erreur grave que de les utiliser comme substitut à l'attention concentrée authentique. La tentation est forte d'employer ces substituts car naturellement les faveurs ou les cadeaux sont beaucoup plus faciles à donner et exigent moins de temps que notre attention. Mais on peut constater sans cesse que les enfants ne se sentent pas et ne se conduisent pas de leur mieux s'ils ne reçoivent pas cette denrée précieuse, l'attention concentrée.

LA TYRANNIE DE L'URGENT

Pourquoi est-il si difficile de donner de l'attention concentrée? De nombreuses études et publications ont démontré que le temps était notre acquis le plus précieux. Disons-le ainsi. Étant donné qu'il n'y a que 24 heures dans une journée et 7 jours dans une semaine, il nous est virtuellement impossible de remplir toutes nos obligations. Voilà un énoncé clair et réaliste qui nous force à réfléchir. Il est impossible que je m'occupe de toutes les responsabilités et de toutes les obligations de ma vie comme je le voudrais. Il *faut* que je l'accepte. Si je ne le fais pas, je finirai par croire naïvement que les choses se font d'elles-mêmes, et je me laisserai contrôler par la tyrannie de l'urgent. Les choses urgentes vont automatiquement prendre la priorité dans ma vie et organiser mon temps. Cela serait correct si ces choses urgentes étaient également les plus importantes. Malheureusement elles le sont rarement. Prenons par exemple le « sacré » téléphone. Je l'appelle sacré car il a la priorité sur, à peu près, tout le reste. Il faut répondre au téléphone qui sonne, peu importe l'heure, l'endroit ou la situation. Notre famille pourrait jouir des bons moments à être ensemble au souper. Cela me semble très important. Mais voilà que le téléphone sonne d'urgence et on lui laisse presque le droit sacré de venir troubler, interrompre et même briser notre réunion de famille. Une fois de plus la tyrannie de l'urgent a éclipsé les choses importantes de la vie.

La vie est bien trop courte pour la vivre sous le contrôle de l'urgent. Soyons capables de nous occuper de l'important. Comment faire alors? Il n'y a qu'une seule façon, qui n'est ni simple, ni facile. Nous devons définir nos priorités, établir nos objectifs et planifier notre temps pour pouvoir accomplir les choses importantes. Nous devons contrôler notre temps afin de pouvoir nous occuper des choses importantes.

ÉTABLIR D'ABORD NOS PRIORITÉS

Quelles sont les priorités de notre vie? Où l'enfant figure-t-il? Occupe-t-il la première place, ou la deuxième, la troisième, la quatrième? Il faut le déterminer. Sans cela votre enfant aura peu de préséance sur vous et souffrira plus ou moins de négligence.

Personne ne peut établir à votre place vos priorités. Votre conjoint ne peut pas obliger ses priorités ou celles de l'enfant à prendre la même place dans *votre* vie; un conseiller, un patron, un ami non plus. Vous seul pouvez le faire. Alors, ami parent, qu'en est-il pour vous? Qu'est-ce qui a la priorité dans votre vie? Le travail? Votre église? Votre conjoint? Votre maison? Votre passe-temps favori? Vos enfants? La télévision? Votre vie sociale? Votre carrière?

Laissez-moi vous faire voir à nouveau mon expérience personnelle et celle de mes patients. J'ai remarqué jusqu'à présent que dans toutes les familles qui semblent avoir trouvé le contentement, la satisfaction, la joie de vivre et une reconnaissance entière chez chacun d'entre eux, les parents possèdent un système de valeurs similaires. Généralement leur priorité première est de nature morale, c'est-à-dire une foi religieuse solide ou un code d'éthique. Dans la plupart des cas, cela se traduit par la présence de Dieu à la première place alors qu'ils ont avec Lui, une relation sympathique, réconfortante et aimante. Ils utilisent cette relation stabilisante pour influencer toutes les autres. Leur deuxième priorité est le conjoint. Les enfants sont en troisième position. Comme vous le voyez, le bonheur réel dans une famille se trouve dans son orientation, qui va de la famille spirituelle à la famille physique. Dieu, le conjoint, les enfants, voilà l'essentiel. Les autres priorités sont importantes, naturellement, mais ces trois là doivent se retrouver au début.

J'ai parlé avec beaucoup de gens qui avaient cherché la satisfaction dans l'argent, la puissance ou le prestige. Mais en expérimentant la vie, ils ont découvert les vraies valeurs, et réalisé, alors, qu'ils avaient investi dans un mauvais compte. J'ai vu un nombre incalculable de personnes riches qui ont passé le meilleur de leur vie à gagner de l'argent. Il est toujours tragique de les voir chercher tout à coup des conseils alors qu'elles savent qu'en dépit de leurs richesses et de leur puissance, leurs vies sont douloureusement et pathétiquement vides. Elles se mettent à pleurer et à considérer leur vie comme un échec à cause d'un enfant rebelle ou de leur conjoint perdu à travers un divorce. Elles ne prennent conscience qu'à ce moment que la seule possession valable dans la vie est quelqu'un qui les aime et qui se soucie de ce qui leur arrive — Dieu, le conjoint, l'enfant.

J'ai vu aussi beaucoup de personnes malades, au terme de leur vie. Leur appréciation profonde de la vie va dans le même sens. Quand elles regardent en arrière, elles aussi savent que la seule chose qui compte vraiment est que quelqu'un s'inquiète d'elles et les aime sans réserve. Si ces malades terminaux ont auprès d'eux des personnes qui les aiment, ils sont en paix. Mais s'ils n'ont personne, ils sont tellement à plaindre.

J'ai parlé, dernièrement, avec la femme d'un pasteur, une très belle femme, qui a un cancer incurable. C'est une personne radieuse. Tout en parlant, elle m'a expliqué combien, depuis qu'elle connaissait sa maladie, sa vision de la vie avait été transformée. Avec cette connaissance d'une mort imminente son système de priorités avait obligatoirement changé. Pour la première fois de sa vie, elle a compris qu'*aucun* parent au monde ne pouvait avoir assez de temps dans sa vie pour répondre aux besoins de son conjoint et de ses enfants, s'il ne mettait pas de côté des choses moins importantes. Cette femme prit comme première priorité son mari et ses enfants et une différence bienfaisante se manifesta dans leur vie. Je n'ai jamais vu un mari et des enfants si magnifiquement transformés. Il ne faut certes pas négliger les autres aspects de notre vie, mais nous avons le devoir de contrôler le temps qu'ils nous prennent et de veiller à maintenir leur ordre d'importance.

LES MOMENTS FUGITIFS

Voici une autre illustration qui démontre d'une façon saisissante l'importance de l'attention concentrée. Un jour, un père était assis dans son salon. C'était son cinquantième anniversaire mais il était de mauvaise humeur. Son garçon de 11 ans, Rick, arriva promptement dans la pièce, s'assit sur les genoux de son père et se mit à l'embrasser plusieurs fois sur les joues. Le garçon continua ses bises jusqu'à ce que le père lui demande d'une façon agacée: «qu'est-ce que tu fais?», le garçon répondit: «je te donne 50 bises pour tes 50 ans». En temps ordinaire, le père aurait été touché par ce geste d'affection. Malheureusement, parce qu'il était déprimé et irritable, il repoussa l'enfant et lui dit: «tu feras ça une autre fois». L'enfant fut atterré. Il se précipita dehors, sauta sur sa bicyclette et s'enfuit. Quelques instants plus tard, l'enfant était frappé à mort par une voiture. Imaginez la peine, la douleur et la culpabilité de ce pauvre père.

Ces histoires nous apprennent plusieurs choses. D'abord, puisque la vie est si incertaine et imprévisible, nous ne pouvons connaître d'avance, ni planifier le nombre de moments où nous aurons à donner notre attention concentrée. Mais nous devons saisir ces moments opportuns car il y en a moins qu'on le pense. Les enfants grandissent si vite. Ensuite, disons que ces moments ne surviennent pas chaque jour. Il faut se rappeler qu'il y a des moments précieux qui laissent sur l'enfant une impression durable. Le moment où Rick a essayé d'embrasser son père 50 fois était probablement un de ces moments uniques. Si le père avait été capable de recevoir Rick d'une façon positive, Rick aurait chéri ce souvenir tout le reste de sa vie et en particulier il se le serait rappelé plus tard au moment d'agir contre les valeurs parentales, lors des jours de révolte de l'adolescence. Par contre si Rick n'avait pas été tué, il n'aurait jamais oublié la peine, l'angoisse et l'humiliation de cet instant.

Considérons un autre aspect de l'attention concentrée. On trouve dans les mémoires du père d'un grand humaniste la description d'une journée qu'il avait passée à pêcher avec son fils. Le père se lamente de ce que la journée fut une perte totale car son fils sembla s'être ennuyé et n'avait dit que peu de mots. Le père va jusqu'à écrire qu'il n'emmènera probablement plus son fils à la pêche.

Plusieurs années plus tard, un historien trouva ces notes et, avec curiosité, il les compara aux réflexions que le fils avait écrites dans son journal le même jour. Le fils mentionnait avec ravissement cette journée parfaite où il avait été tout seul avec son père. Il décrivait combien cela avait été profondément bienfaisant et important pour lui.

LE BUT DE L'ATTENTION CONCENTRÉE

Lorsqu'un enfant sent qu'il est « tout seul » avec sa mère ou son père ou qu'il l'a « tout à lui » et qu'en ce moment, il est « la personne la plus importante au monde » pour son père ou sa mère, le but de l'attention concentrée est atteint. L'enfant doit se sentir ainsi.

L'attention concentrée n'est pas simplement une gentillesse à donner à l'enfant si le temps le permet, c'est un *besoin* essentiel pour chaque enfant. La façon dont un enfant se perçoit et se sent accepté dans le monde sera déterminée par la façon dont ce besoin est satisfait. Sans l'attention concentrée, l'enfant éprouve une anxiété accrue car il sent que tout est tellement plus important que lui. Ce sentiment rend l'enfant insécure et l'entrave dans sa croissance émotive et psychologique. On peut identifier facilement un enfant qui a un tel sentiment, à la garderie ou à l'école. Cet enfant a moins de maturité que les autres enfants dont les parents ont pris le temps de remplir ce besoin. Cet enfant infortuné est généralement effacé et a de la difficulté dans ses relations avec ses compagnons. Il est moins capable de faire face aux événements et réagit mal dans un conflit quelconque. Il dépend totalement du professeur ou des adultes avec lesquels il entre en contact.

Certains enfants, et souvent les filles privées d'attention concentrée de la part de leurs pères, *semblent* agir exactement à l'opposé. Elles sont bien bavardes, malléables, démonstratives, et tentent de séduire très souvent. Leurs institutrices de maternelle et de première année les considèrent généralement comme précoces, ouvertes et mûres. Cependant, en grandissant, cette conduite change et devient de plus en plus inadéquate. Quand elles sont parvenues en 3e ou en 4e année, elles deviennent détestables pour leurs copains et pour leurs maîtres. Mais même à ce stade avancé, l'attention concentrée, surtout de la part des pères, peut énormément réduire leur conduite destructrice, en diminuant leur anxiété et en les libérant, afin qu'elles reprennent leur croissance vers la maturité.

COMMENT DONNER DE L'ATTENTION CONCENTRÉE

Maintenant que nous avons vu combien l'attention concentrée est vitale, nous devons voir comment arriver à la donner? J'ai trouvé que la meilleure façon de donner à un enfant de l'attention concentrée est de mettre de côté du temps que l'on passera avec lui tout seul. Je parie que vous pensez déjà que ce sera difficile de faire cela. Vous avez raison. Trouver du temps pour être seul avec son enfant, libre de toute autre distraction, c'est ce qu'il y a, selon moi, de plus difficile dans l'éducation d'un enfant. C'est ce qui fait la différence entre les excellents parents et les autres, entre ceux qui se sacrifient et ceux qui ne le font pas, entre ceux qui se soucient beaucoup de leurs enfants et ceux qui s'en soucient peu, entre ceux qui établissent des objectifs et ceux qui ne le font pas. Acceptons donc que bien élever un enfant *prend du temps.* Trouver du temps dans notre société hyperactive est difficile, surtout quand les enfants sont captifs de la télévision et préfèrent trop souvent passer leur temps devant elle. Voilà des raisons encore plus pressantes qui rendent l'attention concentrée indispensable. Plus que dans tout autre temps de l'histoire, les enfants sont influencés par des forces extérieures au foyer. Il faut exercer des efforts extraordinaires pour voler du temps à des horaires chargés, mais les récompenses sont grandes. C'est merveilleux de voir son enfant heureux, en sécurité, bien aimé par ses amis et les adultes, qui apprend bien et se conduit de son mieux. Mais croyez-moi, amis parents, cela ne se fait pas automatiquement. Nous devons payer le prix. Nous devons trouver du temps à passer seul avec chacun de nos enfants.

John Alexander, président d'une association chrétienne inter-universitaire est le père de quatre enfants. Récemment, dans une conférence il racontait combien il lui était difficile de trouver du temps à passer avec chacun d'eux. Sa solution était de réserver au moins une demi-heure pour chacun de ses enfants chaque dimanche après-midi. Il faut que chacun trouve sa façon de le faire.

J'ai, moi aussi, de la difficulté à planifier mon temps. Je m'efforce de conserver autant que possible des temps libres pour mes enfants. Par exemple, il y a quelque temps, ma fille prenait des cours tout près de mon bureau les lundis après-midi. Je m'efforçais alors d'organiser mes rendez-vous pour que je puisse la rencontrer après ses cours. Nous nous arrêtions dans un restaurant et nous mangions ensemble. Dans de pareils moments, en dehors de la pression des interruptions et des horaires, j'étais capable de lui donner ma pleine attention et de prêter l'oreille à tout ce dont elle voulait parler. Ce n'est que dans ce contexte d'intimité et de détente que les parents développent avec leur enfant cette relation spéciale et indélébile dont il a absolument besoin pour faire face aux réalités de la vie. Ces moments resteront gravés dans son souvenir lorsque la vie deviendra difficile, en particulier pendant ces années tumultueuses de l'adolescence, parmi les conflits et les désirs normaux d'indépendance.

C'est aussi pendant ces périodes d'attention concentrée que les parents trouvent l'opportunité de donner à leur enfant un contact visuel et un contact physique. Pendant ces périodes, ces contacts ont une plus grande signification et une plus grande influence pour l'enfant.

Évidemment, plus une personne a d'enfants, plus il est difficile de donner à chacun de l'attention concentrée. Je me rappelle avoir conseillé une petite fille de sept ans en rapport avec les nombreux ennuis qu'elle avait à l'école et à la maison: problèmes avec ses devoirs, dans ses relations avec les copines, avec ses frères et sœurs, à cause d'une conduite immature. Vous avez peut-être déjà deviné le fond du problème. Cette fillette avait 9 frères et sœurs et ses pauvres parents ne pouvaient pas trouver le temps de lui donner l'attention concentrée dont elle avait besoin. En fait, ils ne se doutaient pas que cette enfant souffrait d'un manque d'attention concentrée, car tous leurs autres enfants étaient bien adaptés. Les parents étaient fermiers et, au cours des activités d'une journée — la traite, l'alimentation du bétail, les labours —, ils avaient l'occasion d'être un certain temps seuls avec chacun de leurs enfants et d'entendre leurs problèmes. Mais cette petite, à cause de son âge, à cause de ses tâches personnelles, de son ordre de naissance ne pouvait pas dans le train-train quotidien jouir d'une attention suffisante de la part de ses parents. Elle se sentait négligée et mal aimée. Ses parents l'aimaient beaucoup, mais parce qu'elle ne le sentait pas, elle ne le savait pas.

L'AVANTAGE D'UNE PLANIFICATION SÉRIEUSE

Nous voyons par cette illustration combien il est important de *planifier* notre temps afin de donner à *chaque* enfant de l'attention concentrée. Cela est difficile. Dans une famille de deux enfants, chaque parent devrait être capable de passer du temps avec chacun. Mais quand il y a plus de deux enfants, les difficultés vont en progressant, et, cela encore plus, quand il s'agit d'une famille monoparentale. De toute façon, une planification sérieuse est avantageuse: supposons par exemple qu'à un jour précis (disons vendredi prochain) un de vos enfants est invité à une fête, un autre doit se rendre chez un parent, laissant ainsi votre troisième enfant seul. Un parent prudent, qui a, comme priorité, ses enfants, va considérer ce moment comme une occasion rêvée pour donner de l'attention concentrée à ce troisième enfant. Naturellement, nos projets doivent prendre en considération les besoins émotifs de chaque enfant ou nous aurons un problème semblable à celui de cette famille de dix enfants. Cela peut être plus difficile dans une famille où il y a à la fois un enfant exigeant et un enfant qui ne l'est pas. Il faut résister à l'attitude qui veut que la charnière qui grince le plus doit être huilée. Chaque enfant a les mêmes besoins, même si ses exigences sont plus ou moins évidentes. Est vulnérable tout particulièrement l'enfant peu exigeant et passif, qui occupe souvent une position de milieu dans la famille. Si ses frères et sœurs sont en plus des enfants exigeants, ses parents trouveront facile de l'ignorer, jusqu'à ce que des problèmes apparaissent.

Il faut aussi être attentif aux occasions inattendues qui donnent du temps additionnel. Par exemple, il peut arriver qu'un parent se trouve par hasard seul avec un enfant, alors que les autres jouent tous dehors. Voilà encore une occasion de remplir le réservoir émotionnel de cet enfant et de prévenir des problèmes de panne sèche. Ce temps d'attention concentrée peut être très court, à peine une minute ou deux. Mais cette minute peut faire des miracles. Chaque moment compte. Cela ressemble aux petits dépôts que l'on met dans un compte en banque. Aussi longtemps que l'équilibre d'un enfant est sain, sa vie émotive sera bonne et il aura peu de problèmes. C'est donc un investissement pour l'avenir, en particulier pour les années de l'adolescence.

Chaque dépôt nous assure que les années de l'adolescence de l'enfant seront saines, agréables et satisfaisantes pour lui et ses parents. L'enjeu est grand. Qu'y a-t-il de pire qu'un fils ou une fille rebelle ou au contraire, de plus beau qu'un jeune bien équilibré?

Bien sûr, il faut également des périodes prolongées d'attention concentrée. Lorsque les enfants grandissent, ces périodes aussi doivent s'allonger. Les enfants plus âgés ont besoin de prendre le temps de se réchauffer, de laisser tomber les défenses qui se sont développées, et de se sentir libres avant de partager leurs pensées les plus intimes, surtout quand quelque chose les trouble. Comme vous le voyez, si ces moments d'attention concentrée sont donnés très tôt dans la vie de l'enfant, il acceptera plus aisément et trouvera beaucoup plus facile plus tard de partager ses pensées émotives avec ses parents. Par contre, si ces temps d'attention n'ont jamais été donnés, comment un enfant apprendra-t-il tout à coup à communiquer d'une façon significative avec ses parents? Oui, l'enjeu est élevé! Il n'y a rien de pire que d'avoir un enfant perturbé qui ne peut pas partager ses sentiments avec vous! Et il n'y a rien de plus merveilleux pour votre enfant que d'être capable de vous présenter toute chose et d'en parler!

Tout cela est difficile et prend du temps, mais est réalisable. Un grand nombre de personnes m'ont appris leur façon particulière d'y arriver. Il y a entre autres Joe Bayly, un écrivain chrétien, qui m'a raconté comment il s'y prenait. Il indique sur son agenda de rendez-vous les moments précis où il accordera du temps à sa famille; lorsque quelqu'un téléphone et lui demande de donner une conférence à tel moment, il consulte son agenda et dit très poliment qu'il a déjà un autre engagement.

Joe Bayly m'a donné aussi une autre idée que j'ai bien aimée. Chaque membre de sa famille possède un drapeau dont le dessin le caractérise et sur lequel est inscrit le nom de chacun. Ce drapeau est donné à l'enfant à l'occasion d'un anniversaire de naissance. À partir de ce moment, à chaque occasion spéciale, l'anniversaire de l'enfant, un retour de voyage, un départ prolongé, le drapeau est monté sur le mât qui se trouve devant la maison. Nous avons là un exemple d'attention concentrée indirecte.

LA PRÉSENCE DES AUTRES

Nous avons déjà dit que l'attention concentrée se donne avec succès lorsque l'on est seul avec un enfant, à l'écart des autres membres de la famille. Cela reste vrai, mais il y a des moments où cette attention doit être donnée en présence des autres. En particulier, quand un enfant est malade, qu'il a un gros chagrin ou lorsque dans une situation pénible il régresse rapidement. Par régresser, je veux dire qu'il perd le contrôle de ses émotions et de son comportement.

Voici un exemple. Un jour des parents très inquiets me demandèrent mon avis au sujet de leur fils, Tim, âgé de douze ans. Un cousin germain, un garçon de douze ans également, vivait maintenant avec eux. Le cousin exigeait beaucoup et avait complètement éclipsé Tim dans l'attention de ses parents. Tim se sentait délogé par ce cousin trop puissant et était devenu déprimé, effacé et, dans certaines occasions incapable de communiquer. Je leur conseillai naturellement de donner, à Tim et au cousin, beaucoup d'attention concentrée, c'est-à-dire de passer du temps avec l'un et l'autre séparément. Cependant le cousin continua très clairement à dominer toutes les situations où les deux garçons étaient présents. Alors, je conseillai aux parents de donner à chaque garçon une attention concentrée chaque fois que le cousin prenait le dessus. Les parents y parvinrent en se tournant directement vers Tim quand c'était son tour de parler et en lui donnant un contact visuel complet et un contact physique si nécessaire, en répondant à ses commentaires. Ensuite lorsque c'était le tour du cousin de parler, les parents répétaient avec lui le même processus.

Ce genre d'attention concentrée réussit bien, seulement si l'enfant reçoit aussi une attention concentrée abondante quand il est seul. Incidemment, j'ai appris à des professeurs ces techniques simples et elles ont révolutionné leur enseignement et leurs perceptions à l'égard des enfants.

L'attention concentrée exige du temps, elle est difficile à pratiquer d'une façon logique et, souvent, elle est épuisante pour des parents déjà fatigués mais c'est le moyen le plus puissant de garder rempli le réservoir d'un enfant en prévision de l'avenir.

1. Marc 10, 13-16
2. Psaume 127, 3-5,
3. Genèse 33, 5,

7

L'amour approprié et inapproprié

J'aimerais discuter ici de la controverse du « trop d'amour ». D'un côté, il y a des arguments qui affirment que trop d'amour va gâter l'enfant, alors que d'autres disent qu'on ne peut jamais assez aimer un enfant. La confusion est telle, dans ce domaine, qu'elle amène souvent les avocats des deux causes à prendre des positions extrêmes. Beaucoup de gens dans le premier groupe sont des correcteurs sévères alors que les autres sont excessivement indulgents.

Réexaminons ce problème à la lumière du concept de *l'amour approprié*. En définissant l'amour approprié comme étant cet amour communiqué à l'enfant, en vue de lui donner une éducation saine et d'encourager sa croissance émotive et sa confiance en lui-même, alors le tableau s'éclaircit. Nous pouvons ainsi dire qu'un enfant a besoin d'une surabondance d'amour approprié et bien sûr qu'il n'a besoin d'aucun amour inapproprié.

L'AMOUR INAPPROPRIÉ

Nous pouvons aussi définir l'amour inapproprié comme étant cette affection qui, transmise à l'enfant, entrave sa croissance émotive parce qu'elle ne satisfait pas les besoins émotifs de l'enfant mais encourage une relation de dépendance de plus en plus grande vis-à-vis des parents et empêche la confiance en soi.

Les quatre manifestations les plus courantes de l'amour inapproprié sont le désir de possession, le désir de séduction, le désir de vivre par personne interposée et le renversement des rôles. Voyons cela en détail.

LE DÉSIR DE POSSESSION

Le désir de possession est une tendance des parents à encourager un enfant à être trop dépendant vis-à-vis d'eux. Paul Tournier, un conseiller suisse qui fait autorité, traite de ce sujet avec une grande acuité dans un article intitulé « La signification du désir de possession ». Il affirme que lorsqu'un enfant est petit, sa dépendance est « évidente et presque totale ». Si cette dépendance ne diminue pas alors que l'enfant grandit, elle devient un obstacle à son développement émotif. De nombreux parents cherchent à garder leur enfant dans un état de dépendance à leur égard. Le docteur Tournier dit qu'ils font cela par « la suggestion ou par le chantage émotif » ou en utilisant leur autorité pour exiger l'obéissance. L'enfant leur appartient. Ils ont des droits sur lui. Ces parents sont possessifs. Ils ont tendance à traiter leur enfant comme un objet ou une propriété acquise — non comme une personne qui a besoin de grandir selon ses caractéristiques propres et de devenir graduellement indépendante, et confiante en elle-même.

Un enfant doit être respecté de ses parents afin d'être lui-même. Cela ne signifie pas de n'établir aucune limite à son comportement ou de tout lui permettre (chaque enfant a besoin d'orientation et de discipline). Cela signifie qu'il faut encourager un enfant à penser lui-même, à être spontané, à comprendre qu'il est une personne à part entière qui doit assumer de plus en plus de responsabilités.

Si, en tant que parents, nous méprisons le droit de l'enfant à devenir de plus en plus indépendant, il peut arriver deux choses: soit qu'il devienne complètement dépendant et soumis, incapable d'apprendre à vivre dans ce monde, soit qu'il devienne la proie toute indiquée des personnalités fortes et autoritaires et des groupes tels que les Moonistes. Il y aura aussi une détérioration de notre relation avec l'enfant: en vieillissant, il deviendra de plus en plus rebelle à notre gouverne.

Comme le docteur Tournier le suggère, nous devrions posséder comme si nous ne possédions pas. Tel est le grand message de la Bible. L'homme ne peut jamais vraiment posséder quelque chose. Il n'est que le gardien des biens que Dieu lui confie, car « la terre lui appartient et tout ce qu'elle contient[1] ».

Il y a un désir presque naturel de possession dans chaque parent mais nous devons veiller 1) à bien l'identifier en nous, 2) à le séparer de notre véritable souci de bien-être total de l'enfant, 3) à en être autant que possible continuellement conscient, 4) à résister à son influence.

LE DÉSIR DE SÉDUCTION

La deuxième forme inappropriée concernant l'expression de l'amour passe à travers le désir de séduction. Je dois d'abord dire qu'il est difficile de parler de ce sujet car le désir de séduction ne se définit pas aisément. Ce terme semble englober tout ce qui tourne autour de la suggestion sexuelle jusqu'à la corruption.

En rapport avec notre sujet, il est suffisant de

définir le désir de séduction comme un essai conscient ou inconscient de retirer de notre rencontre avec un enfant des émotions sensuelles ou sexuelles.

Voici un exemple qui a été donné dans un séminaire récent sur la psychiatrie enfantine. Une petite fille de 7 ans avait été envoyée à une clinique psychiatrique à la suite de pratiques fréquentes de masturbation et de progrès minables à l'école. L'évaluation démontra que l'enfant passait beaucoup de temps à rêvasser et à imaginer que sa mère était morte et qu'elle vivait seule avec son père. On apprit que son père passait beaucoup de temps à tenir l'enfant, à la caresser et à lui faire des «mamours» d'une façon telle que l'un et l'autre semblaient en retirer une jouissance sensuelle. Lorsque ces faits furent amicalement révélés au père, il s'exclama; «Oh! Je comprends tout à coup que lorsque je la rince quand nous prenons notre douche ensemble, elle réagit comme une vraie femme.» Voici un cas où le père était clairement séducteur. Cependant il semble qu'il ne saisissait pas pleinement ce qu'il faisait. Comme dans presque tous les cas de ce genre, la relation conjugale dans cette famille était branlante. Dans les familles où le mariage n'est pas sain, ce désir de séduction se développe assez souvent, quoique à des degrés moindres la plupart du temps.

Je vous donne à juger d'une lettre envoyée à un courrier du cœur (celui de Ann Landers) et publiée à fort tirage en décembre 1976. La voici:

«Chère Ann Landers, je ne sais si j'ai un problème ou pas. C'est au sujet de notre belle fille de 12 ans. J'ai vu des filles qui sont folles de leur père mais jamais à ce point.

Dona s'assied à côté de lui ou sur lui chaque fois qu'elle le peut. Tous les deux jouent avec leurs mains et agissent avec enjouement comme un couple d'enfants imbéciles. Elle s'accroche à son père quand ils marchent ensemble ou ils se tiennent par la taille. Est-ce normal? Signé: moi qui m'inquiète.»

Êtes-vous le parent d'une pré-adolescente? Que pensez-vous de cette lettre? Cela sonne-t-il bien ou mal? Vous inquiéteriez-vous? Que feriez-vous?

Voyons la réponse d'Ann Landers. « Chère inquiète, il me semble qu'il y a là vraiment trop de contact physique. Aujourd'hui, une fille de 12 ans est plus une femme qu'une enfant. Il faut parler à Dona, mais ce serait mieux que ce ne soit pas vous qui le fassiez. Un parent éclairé ou un ami adulte pourrait dire à Dona qu'il est déplacé et malsain pour une jeune fille d'avoir tant de contacts physiques avec son père. Sa conduite a été certainement remarquée par d'autres. Si vous ne connaissez personne qui puisse lui faire ce message avec tact et fermeté, essayez à tout prix d'avoir l'aide du conseiller scolaire. Je crois qu'il faudrait parler à Dona plutôt qu'à votre mari. Cela pourrait l'amener à avoir du ressentiment et à être sur la défensive. »

J'aimerais répondre à la lettre d'Ann Landers. Je suis d'accord pour dire qu'ici il semble qu'il y ait trop de contact physique et plutôt d'une nature séductrice. Cependant, c'est là le point de vue de la mère et il y a de très fortes chances que sa relation conjugale soit mauvaise. En bref, ni nous, ni Ann, ne savons avec certitude s'il y a là un désir de séduction ou non. Peut-être que cette situation ressemble à celle que nous avons décrite à la fin du deuxième chapitre où la mère est jalouse d'une bonne relation entre la fille et le père.

À supposer que la relation décrite soit réellement séductrice, allez-vous dire à une fillette de 12 ans que son père a envers elle une attitude sexuelle inappropriée? Le vrai respect des parents est suffisamment difficile à trouver aujourd'hui sans le saper encore plus.

J'aimerais faire un commentaire majeur au sujet de la réponse d'Ann Landers: elle démontre d'une façon typique la mentalité actuelle au sujet de la façon d'aimer les enfants. Son conseil se résumait à cela: parce que le père communiquait mal son amour à sa fille, il ne devrait pas le faire du tout. Nous avons déjà vu combien le contact physique est vital pour une pré-adolescente. Ce père le faisait mal. Faut-il alors cesser complètement tout contact physique?

Je crains que ce genre de réactions ne soit devenu la norme dans notre société. On suppose que parce que certains parents sont séducteurs vis-à-vis de leurs enfants, le contact physique devrait être réduit au possible ou évité. Voici un raisonnement analogique: parce que j'ai vu une personne obèse, je crois que je ne devrais plus manger du tout, ou le moins possible.

Une autre raison pour laquelle de nombreux parents évitent le contact physique avec leurs enfants c'est qu'ils ressentent en fait une certaine émotion sexuelle à leur contact. Cela peut arriver à n'importe quels parents, en particulier aux pères de grandes filles. Voilà donc un dilemme. D'une part, l'enfant a désespérément besoin de se sentir aimé et pour cela le contact physique est essentiel; d'autre part, les parents se sentent mal à l'aise et craignent que cela soit mal et même dommageable pour l'enfant.

Je pense qu'il faut aider de nombreux parents aimants dans ce domaine difficile en leur faisant comprendre que 1) chaque enfant quel que soit son âge a besoin de contact physique approprié, 2) qu'il est normal d'avoir des sentiments sexuels à l'occasion ou des fantasmes sexuels passagers envers un enfant, 3) qu'un parent doit dépasser ces sentiments inappropriés, aller de l'avant et donner à l'enfant ce dont il a besoin, y compris le contact physique approprié (non séducteur).

Avec toute cette confusion il n'est pas surprenant de voir si peu d'enfants qui se sentent véritablement et inconditionnellement aimés.

Une autre crainte que les parents entretiennent face à ce problème de la séduction, c'est le spectre de l'homosexualité. La conception qui veut que trop d'amour, exprimé par la mère à sa fille ou par le père à son fils, conduise à l'homosexualité, est fausse. C'est exactement le contraire qui est vrai.

Dans les séminaires que je fais avec les professeurs, assez souvent il y en a qui me parlent de cette question. Une femme, professeur, m'a dit récemment: « Docteur Campbell, j'aime tant ma fille que je l'embrasse avec fougue très souvent. Est-ce que je peux en faire une lesbienne? » Après avoir demandé de plus amples informations pour savoir si la relation était saine, je répondis: « Continuez ».

DEUX EXEMPLES

Laissez-moi vous donner deux autres exemples. Le deuxième vous démontrera ce que l'amour approprié qui inclut le contact physique fait pour l'identité sexuelle d'un enfant. Le premier démontre ce que son absence entraîne.

Le premier exemple est celui de Rusty, un de mes bons amis. Il est rude, dur, un « vrai mâle ». Il travaille comme instructeur de forage dans la marine américaine. Lui et sa très sympathique femme ont quatre garçons qui se suivent de près. Rusty avait décidé que ses garçons seraient comme lui, des hommes durs et robustes. Il les a élevés comme des recrues de la marine, à travers une discipline stricte et rigide, sans affection, et il leur a appris une obéissance sans discussion et sans question.

Comment réagissez-vous à ce récit? Comment pensez-vous que ces garçons se sont développés? Pensez-vous qu'ils ressemblent à leur père? Pensez-vous qu'ils sont « très hommes »?

La dernière fois que je les ai rencontrés, ils m'ont tous paru extrêmement efféminés. Leurs manières, leurs conversations et leur apparence étaient celles des filles. Vous êtes surpris? Il ne faudrait pas. Je vois cela chaque jour. Les garçons qui ont des pères qui les rejettent, qui sont durs et sans affection, deviennent généralement efféminés.

Voici le deuxième exemple. Il y a quelques années, nous avions un pasteur qui était très grand et bien carré. Son physique imposait l'attention et il avait un cœur plein de chaleur et d'amour. Son fils, à cette époque, avait trois ans, le même âge que mon fils David, mais il avait une tête de plus et pesait vingt livres de plus. Il était l'image crachée de son père. Notre pasteur aimait son fils profondément et avec chaleur. Il était très affectueux avec son garçon, le portait beaucoup, le serrait, l'embrassait et se battait, en jouant, avec lui.

Comment pensez-vous que ce garçon se développa? A-t-il suivi les traces de son père? Bien sûr! Ce bonhomme fut comme son père. Il avait une identité sexuelle forte et saine et était en sécurité, heureux, affectueux, très garçon.

Si ces deux exemples ne vous convainquent pas qu'une surabondance d'amour approprié de la part de chaque parent est non seulement justifiée mais nécessaire à chaque fille et à chaque garçon, laissez-moi vous dire ce dernier fait. À travers toutes mes lectures et mon expérience, je n'ai jamais rencontré une personne sexuellement désorientée qui avait un père chaleureux, aimant et affectueux.

Mais à cause des conceptions erronées que nous avons étudiées, peu de parents sont capables de nourrir correctement leur enfant émotivement. Bien qu'il y ait beaucoup d'amour dans leurs cœurs, il y en a peu dans leurs actes. Je suis convaincu qu'une fois que ces conceptions erronées seront corrigées et que les parents comprendront ce dont un enfant a besoin, la plupart d'entre eux seront capables de fournir cette surabondance d'amour approprié dont chaque enfant a besoin.

LE DÉSIR DE VIVRE PAR PERSONNE INTERPOSÉE

Le troisième genre d'amour inapproprié et le plus courant est le désir de vivre par personne interposée. Une des formes les plus pernicieuses de ce genre d'amour se manifeste lorsqu'une mère vit des fantaisies ou des désirs romanesques à travers sa fille. Une mère arrive à cela en poussant sa fille vers des relations ou des situations où elle aimerait elle-même se trouver. On peut trouver des indices de ce désir dans l'intérêt obsessionnel qu'une mère manifeste pour les détails intimes des amitiés vécues par sa fille et dans le fait qu'elle soit sensuellement excitée quand sa fille les lui raconte. L'effet destructeur de ce processus est évident. Il peut conduire une enfant à vivre des situations pour lesquelles elle n'a pas la maturité ni l'expérience voulues. Une grossesse inopportune n'est qu'une des conséquences possibles. Une autre conséquence fréquente touche à la réputation détériorée de l'enfant. Une mauvaise réputation peut détruire la bonne image et le respect d'elle-même que l'enfant aura dans la vie.

Ce genre de situation de procuration peut aussi arriver entre un père et son fils, avec des conséquences semblables. Un père qui vit ses propres prouesses sexuelles à travers les conquêtes de son fils nuit non seulement à son fils mais aussi aux autres personnes impliquées dans sa vie. De cette façon, un garçon est fortement influencé à ne voir les femmes que comme des objets sexuels. Il aura de la difficulté à considérer les femmes en tant que personnes ayant des sentiments, et surtout en tant qu'égales.

Naturellement, il y a beaucoup de genres de procurations affectives. Celles que nous venons de décrire ne sont que les plus pernicieuses.

Dans un autre cas, un père utilisera son fils pour satisfaire des désirs athlétiques personnels. Si vous voulez observer ce phénomène en situation, rendez-vous au stade le plus proche voir jouer une ligue junior. Un parent qui a ce problème s'impliquera émotivement dans le jeu comme s'il était lui-même le joueur. Il se fâchera excessivement contre l'arbitre lorsque la sanction s'applique à son fils. Pire encore, un tel parent réprimandera et abaissera son fils quand il aura fait une erreur.

Qu'est-ce que cela nous rappelle? Le vieux problème de l'amour conditionnel. Plus nous avons le désir de vivre à travers nos enfants, plus notre amour pour eux est conditionnel. Il dépend de leurs performances et de la manière dont celles-ci réalisent nos désirs.

Nous avons tous un peu ce défaut, à des degrés divers, n'est-ce pas? L'été dernier nous avons découvert que notre fils de 8 ans était un bon joueur de baseball. Alors que je le regardais jouer, pour une raison étrange, je me mis à penser à cette époque éloignée où je faisais du baseball en tant que professionnel. Je me rappelais combien j'avais désiré, en vain, faire partie des ligues majeures. Alors que je regardais David jouer si bien, mon chagrin et mon désappointement anciens m'envahirent jusqu'au plus profond de moi-même. Je me demandais pourquoi. Je commettrais sûrement une erreur si j'essayais de réaliser mon rêve désespéré à travers mon fils. Aussi je dois me surveiller.

Cette procuration affective devient nuisible lorsqu'elle modifie notre amour au point qu'il ne soit plus donné qu'en fonction de la conduite de l'enfant. Il devient donc un amour conditionnel. Nous, les parents, ne devons pas laisser nos propres espoirs, désirs et rêves déterminer le genre d'amour que notre enfant reçoit.

Le désir de vivre par personne interposée peut être considéré comme un genre de désir de possession s'il nous amène à regarder les enfants comme des objets que nous pouvons utiliser pour accomplir nos propres rêves. Comment un enfant peut-il vivre de son propre essor, penser à lui et s'impliquer vraiment dans une telle situation de procuration?

Notre amour pour notre enfant doit demeurer inconditionnel. Nous devons l'aimer pour qu'il puisse remplir le plan de Dieu dans sa vie, et non les nôtres.

LE RENVERSEMENT DES RÔLES

Ce phénomène a été décrit par des spécialistes de la façon suivante: «Un renversement du rôle de dépendance dans lequel les parents cherchent auprès de leurs bébés et de leurs petits enfants des soins affectifs et de la protection[2].»

D'autres en ont donné cette description: «Ces parents attendent et demandent énormément de leurs enfants. Non seulement l'exigence de leur rendement est grand mais il est aussi prématuré, au-delà de la capacité de l'enfant qui ne peut comprendre ce qui lui est demandé et par conséquent ne peut y répondre correctement. Ces parents se conduisent avec l'enfant comme s'il était beaucoup plus âgé qu'il ne l'est. L'observation de cette interaction donne l'impression très nette que le parent se sent peu sûr d'être aimé et qu'il considère l'enfant comme une source de réconfort et d'amour. Il n'est pas exagéré de dire que le parent agit comme un enfant mal aimé et effrayé et qu'il considère son propre enfant comme un adulte capable de lui donner réconfort et amour... Nous voyons qu'il y a ici deux éléments en jeu: une haute exigence du parent envers les performances de l'enfant et un mépris correspondant de la part du parent des besoins propres de l'enfant, de ses possibilités limitées et de sa faiblesse. C'est une mauvaise perception importante de l'enfant par le parent[3].»

Le renversement des rôles est la cause fondamentale de ce phénomène effrayant: le mauvais traitement des enfants. Un parent qui maltraite son enfant croit que celui-ci doit prendre soin de ses besoins émotifs; il croit qu'il a le droit d'être réconforté et nourri par lui. Lorsque l'enfant ne le fait pas, il croit qu'il a le droit de le punir.

Maltraiter un enfant c'est la forme extrême du renversement des rôles, mais tous les parents renversent les rôles à un moment ou à un autre. Parfois nous pensons que notre enfant doit nous rassurer. Cela arrive lorsque nous ne nous sentons pas bien physiquement ou mentalement. Nous pouvons être déprimé, malade ou épuisé. Dans ces périodes nous n'arrivons à donner que peu de soins émotifs à notre enfant. Il peut nous paraître difficile de donner un contact visuel ou physique, ou de l'attention concentrée. Lorsque nous sommes à plat, nous avons nous-même besoin de réconfort. Il est difficile de donner lorsque nous avons peu ou rien à donner. Dans ces conditions il est facile de faire l'erreur d'exiger de notre enfant qu'il soit réconfortant, rassurant, accommodant, plein de maturité dans son comportement et passivement obéissant. Ce ne sont pas là les caractéristiques d'un enfant normal. Si l'enfant doit jouer ce rôle malsain, il ne se développera pas normalement. Les conséquences néfastes sont infinies.

En tant que parents nous ne devons pas permettre qu'une telle situation s'établisse. Nous devons bien comprendre que c'est aux parents de donner les soins émotifs et aux enfants de les recevoir. Il faut récupérer aussi vite que possible lorsque nous nous sentons incapables de rencontrer les besoins des enfants.

Jusqu'à ce que nous soyons capables d'assumer cette responsabilité essentielle, nous ne devons pas considérer nos enfants comme nos parents. Naturellement, ils peuvent faire des choses pour nous lorsque nous sommes malades, faire des commissions ou des petits travaux, mais ils ne doivent pas nous soigner émotivement.

Nous devrions faire tout en notre pouvoir pour éviter ces moments où nous ne pouvons pas nous occuper de nos enfants. Pour cela, il faut apprendre à prévenir la fatigue en prenant un meilleur soin de nos corps, et à prévenir la maladie par une alimentation équilibrée, une abondance de repos et d'exercices. Pour notre santé émotive, il faudra peut-être s'engager dans un passe-temps ou d'autres activités réparatrices afin d'éviter la dépression ou l'épuisement cérébral. Il faudra aussi garder notre vie spirituelle fraîche et vivante en s'accordant suffisamment de temps pour prier et méditer. Plus encore, il faut garder notre mariage fort, sain et équilibré. Le mari et la femme doivent être la seconde priorité et les enfants, la troisième. Rappelez-vous que nous serons d'autant plus capables de nous consacrer à nos enfants que nous nous garderons émotivement et spirituellement renouvelés. Cela nous rappelle que nous devons établir nos priorités avec sérieux et tendre vers nos objectifs.

NE JETEZ PAS LE BÉBÉ AVEC L'EAU DU BAIN

Nous avons étudié les quatre expressions les plus courantes d'amour inapproprié et plusieurs fausses conceptions. Nous voulons éviter ces genres de relations car ils sont mauvais, et pour les parents, et pour les enfants.

Mais alors que nous voulons éviter ces erreurs, « ne jetons pas le bébé avec l'eau du bain ». Ne faisons pas une erreur plus grave en supprimant l'amour approprié. Cette faute est la plus commune dans l'éducation des enfants. Il y a beaucoup plus d'enfants qui souffrent d'un manque d'amour approprié que d'une exposition à un amour inapproprié.

L'amour approprié sert les besoins de l'enfant. L'amour inapproprié sert les besoins anormaux et les infirmités des parents.

Nous devons faire face à cette tâche. Les enfants ont des besoins que seuls leurs parents peuvent remplir. Si nous ne pouvons les combler, si nous ne pouvons garder leur réservoir émotionnel plein, si nous ne pouvons leur donner, d'une façon appropriée, une abondance de contact visuel, de contact physique, d'attention concentrée, recherchons au plus vite de l'aide. Plus nous attendrons, pire sera la situation.

1. I Corinthiens 10, 26
2. M. A. Morris et R. W. Gould, Child Welfare League Publication, 1963
3. Brandt Steele et Carl Bollock, The Battered Child, Chicago University of Chicago Press, 1974, p. 95.

8

La discipline, mais qu'est-ce donc ?

Je donne périodiquement une série de cours sur les relations parents-enfants à l'adresse de groupes religieux ou de groupes de citoyens. Mon cours se développe de la même manière que ce livre. Avant de parler de discipline nous passons trois ou quatre heures à présenter comment aimer un enfant. Chaque fois, sans exception, après ces premières heures de cours, un parent vient me trouver pour me dire: « J'aime votre cours jusqu'à présent, mais quand parlerons-nous de discipline? C'est là que j'ai des problèmes et j'aimerais avoir des réponses ».

Ce pauvre parent a généralement mal compris 1) la relation entre l'amour et la discipline, 2) la signification de la discipline. Il a séparé, dans son esprit, l'amour de la discipline comme si c'était des entités séparées. Il n'est pas surprenant que ce parent soit dérouté et qu'il ait des problèmes à contrôler son enfant.

Les parents qui ne parviennent pas à faire la distinction entre ces notions supposent généralement que discipline signifie punition et même châtiment.

Ces deux suppositions sont fausses. J'insiste auprès de ces parents comme je souhaite le faire auprès de vous, que l'amour et la discipline ne peuvent pas être séparés et que la punition est une très petite partie de la discipline.

La première chose que nous devons comprendre si nous voulons avoir un enfant bien discipliné est *qu'amener un enfant à se sentir aimé est la première et la plus importante partie de la discipline*. Ce n'est pas la seule, mais je le répète, c'est la plus importante.

Tout ce dont nous avons parlé dans ce livre jusqu'à présent est la partie la plus importante de la discipline et doit être appliqué si nous voulons retirer les meilleurs résultats de la discipline. Il ne sert absolument à rien de continuer à avancer dans cette lecture si vous n'avez pas appliqué ce que vous avez déjà lu et si vous n'avez pas gardé le réservoir émotionnel de votre enfant plein. Si vous n'avez pas fait sentir à votre enfant que vous l'aimez par une abondance de contacts visuels, de contacts physiques et d'attention concentrée d'une manière appropriée, je vous en prie, ne continuez pas à lire. Les résultats vous désappointeront. L'application de techniques de contrôle de la conduite, en dehors du fondement de l'amour inconditionnel, est barbare et à l'encontre de l'enseignement biblique. Cela peut vous donner un enfant bien discipliné en bas âge mais à long terme les résultats sont terriblement décourageants. Seule une bonne relation d'amour se maintient à travers toutes les crises de la vie.

QU'EST-CE QUE LA DISCIPLINE?

Avant d'aller plus loin, nous devrions tenter une définition de la discipline. Qu'est-ce que c'est? Dans le contexte de l'éducation d'un enfant, la discipline, c'est former l'esprit et le caractère d'un enfant pour lui permettre de devenir un membre constructif de la société et capable de se diriger lui-même. Qu'est-ce que cela implique? La discipline implique la formation à travers toutes les relations de communication. Former par l'exemple, par l'imitation, par des instructions verbales et écrites, par l'enseignement, en procurant des expériences d'études et des jeux. La liste est assez longue.

Oui, on peut mettre, sur la liste, la punition; mais elle n'est qu'un moyen parmi tant d'autres, de discipliner et c'est le plus négatif, le plus primitif. Malheureusement il y a des moments où nous devons l'employer et nous discuterons de son utilisation plus tard. Pour l'instant, insistons encore en disant que l'orientation vers une façon de penser et des actions justes, est bien supérieure à la punition pour une mauvaise action.

Avec une définition claire de la discipline à l'esprit, considérons-la, de nouveau, en rapport avec l'amour inconditionnel. *La discipline est infiniment plus facile à exercer lorsque l'enfant se sent réellement aimé.* Cela parce que l'enfant veut s'identifier à ses parents et il ne peut le faire que s'il sait qu'il est sincèrement aimé et accepté. Il peut alors accepter l'orientation de ses parents sans hostilité ni opposition.

D'autre part, si un enfant ne se sent pas véritablement aimé et accepté, il éprouve de réelles difficultés à s'identifier avec ses parents et avec leurs valeurs. En dehors d'un lien affectif fort et sain, un enfant réagit aux directives de ses parents avec de la colère, de l'hostilité et de la rancune. Il considère chaque exigence de ses parents comme une obligation et apprend à lui faire face. Dans des cas plus graves, un enfant apprend à considérer chaque ordre de ses parents avec une telle rancune que son orientation totale envers l'autorité de ses parents (et finalement envers toute autorité) est de faire exactement le contraire de ce qui lui est demandé. Ce genre de désordre émotif augmente à un taux alarmant dans tout le pays et les enfants des familles chrétiennes ne font pas exception.

Un aspect de l'amour approprié que nous n'avons pas encore mentionné est l'écoute active. L'écoute active c'est écouter un enfant de telle manière qu'il est sûr que vous comprenez ce qu'il essaie de vous communiquer. Lorsqu'un enfant sait que vous comprenez ce qu'il ressent et ce qu'il veut, il est beaucoup plus enclin à répondre positivement à la discipline, en particulier lorsque vous n'êtes pas d'accord avec lui. Il n'y a rien de plus frustrant pour un enfant que de se faire dire quelque chose quand il sent que ses parents ne comprennent pas sa position. Cela ne veut pas dire qu'il faille plier à chaque demande ou désir de l'enfant, cela veut simplement dire d'écouter un enfant afin qu'il ne croit pas que vous avez mal compris ses pensées ou ses sentiments quand vous utilisez votre autorité. Est-ce trop demander? Si vous le croyez, vous ne considérez pas votre enfant comme une personne valable à part entière.

Pensez-y. Quand un enfant sent que vous avez pris en considération sa position et ses sentiments, vous avez apaisé la colère et la rancune qui pourraient venir vous hanter plus tard. Est-ce que notre Père céleste n'en fait pas autant? Le Christ a dit: « Demandez et vous recevrez. Cherchez et vous trouverez. Frappez et l'on vous ouvrira [1]. »

Donner à un enfant une écoute attentive exige au moins un contact visuel avec un contact physique et de l'attention concentrée si possible, si elle est appropriée. Manifester que vous comprenez un enfant (même si vous n'êtes pas d'accord avec lui) est généralement utile. En répétant à un enfant ses pensées et ses sentiments vous lui montrez que vous comprenez ce qu'il exprime. Les pensées et les sentiments d'un enfant peuvent vous amener à changer votre propre compréhension et vos actions.

Je me rappelle un incident qui est arrivé avec ma fille de 16 ans. C'est facile de se tromper, cela m'est arrivé à ce moment-là. Nous l'avions laissée aller à un spectacle à son école, un soir de classe, avec trois autres jeunes. On lui avait dit de rentrer immédiatement après le spectacle qui devait se terminer aux environs de 10 heures. Il faut à peu près 30 à 45 minutes pour faire le trajet. À 11 heures, elle n'était pas rentrée et je commençais à m'inquiéter; à 11 heures 15, j'appelai les parents d'un de ses amis. Ils me dirent que le groupe s'était arrêté chez eux pour demander une voiture avec des pneus d'hiver car le mauvais temps avait commencé, et les parents leur avaient offert un casse-croûte. Les enfants avaient quitté la maison à 11 heures 10. Ma fille arriva à 11 heures 40.

J'étais en colère. Je l'envoyai au lit après lui avoir fait un discours sur le sens des responsabilités, et en lui interdisant de sortir pendant une semaine. Pourquoi avais-je réagi ainsi sans écouter ce qu'elle avait à dire? Je pensais plus à moi qu'à la situation réelle. Je ne me sentais pas en forme ce soir-là et j'avais voulu me coucher tôt. Le lendemain, j'avais une journée très chargée. De plus ma fille était en retard et elle ne m'avait pas téléphoné pour m'en avertir. Je jugeais qu'elle avait été complètement négligente dans toute cette situation. Mais j'ai une fille sage. Elle attendit au lendemain que j'aie retrouvé mon sang-froid et mon naturel aimant, pour me donner tous les faits. Elle savait aussi que j'écoute mieux lorsque je ne suis pas fâché. En fin de compte, les enfants avaient pris pour revenir le chemin le plus sûr, qui est aussi le plus long, la glace et la neige rendant les chemins glissants. Elle disait la vérité, tout concordait. Son erreur avait été de ne pas nous avertir quand elle avait vu qu'elle serait en retard. Après m'être excusé de ma réaction excessive, je diminuai sa punition pour qu'elle soit en rapport avec son erreur.

Il y a deux leçons que nous pouvons tirer de cette expérience. La première est qu'il est important de véritablement écouter un enfant quand il communique. J'aurais pu m'éviter de la frustration et éviter de la peine à ma fille ainsi que de la colère et de la rancune possible envers moi si je l'avais écoutée avant d'agir.

L'autre leçon est l'importance de contrôler nos émotions dans de telles circonstances. Je crois que le pire ennemi d'un parent dans l'éducation de son enfant est ses propres émotions désordonnées et la colère. Comme dans l'exemple donné ci-dessus, cela peut nous amener à dire ou faire des choses que nous regretterons plus tard. Trop de colère, surtout sans contrôle, va d'abord effrayer un enfant. Cela peut avoir l'air de bien régler sa conduite, mais cela n'est que temporaire. Alors qu'un enfant grandit, l'expression de trop de colère (les «rages») de la part des parents va augmenter le manque de respect de l'enfant envers eux, tout en stimulant la colère de l'enfant et une rancune graduelle. Quand on y pense bien, les sentiments désordonnés entraînent le mépris de n'importe qui. Pourquoi devrions-nous nous attendre à autre chose de la part d'un conjoint ou d'un enfant?

Vous savez aussi bien que moi que nous perdons tous à un moment ou un autre notre sang-froid. Nous devons alors nous rappeler une chose: ne pas oublier de nous excuser une fois que nous sommes calmés. Il est très possible de transformer une mauvaise chose en une bonne. Il est étonnant de voir combien les relations de famille peuvent devenir agréables quand un de ses membres est assez grand pour s'excuser quand il a tort. Perdre son sang-froid sans raison, exagérer ses réactions, c'est avoir tort. Croyez-le ou non, les moments chaleureux et intimes qui découlent de cette confession font partie des souvenirs particuliers qu'un enfant ou un conjoint n'oublient jamais. Ils sont sans prix.

Les réactions exagérées dans une famille ne peuvent y être tolérées que d'une façon très restreinte, surtout si elles n'entraînent pas d'excuses. Il faudrait les limiter le plus possible. Comment y arriver?

CONTRÔLER SA COLÈRE

Il est important de comprendre que la colère est difficile à contrôler dans certaines circonstances. En voici quelques-unes 1) quand une personne est déprimée, 2) quand elle a peur, 3) quand elle est malade, 4) quand elle est fatiguée physiquement ou mentalement, 5) quand sa vie spirituelle est en mauvais état.

On pourrait écrire un livre sur la façon de venir à bout de chacun de ces problèmes. Disons seulement ici que chaque parent doit se surveiller mentalement, émotivement, physiquement et spirituellement. La mauvaise santé dans un de ces domaines peut entraver la relation parent-enfant, la relation conjugale, en fait, toutes les relations, en nous empêchant de contrôler notre colère. Soyons en forme. La colère effrénée est nuisible à la bonne discipline.

DISCIPLINE ET CHÂTIMENT

J'espère que vous comprenez qu'on ne peut pas s'attendre à ce qu'un enfant réponde positivement à la discipline. N'importe qui peut battre un enfant avec une verge comme moyen principal de contrôler sa conduite. Cela n'exige aucune sensibilité, aucun jugement, aucune compréhension et aucun talent. Utiliser le châtiment physique comme la méthode normale de la discipline, c'est faire l'erreur majeure de prendre la discipline pour un châtiment. La discipline c'est guider l'enfant dans la voie qu'il doit suivre. Le châtiment n'est qu'un accessoire et moins on l'utilisera mieux cela vaudra. Rappelez-vous cette phrase: *mieux un enfant sera discipliné, moins il aura besoin de châtiment*. La façon dont un enfant réagit à la discipline dépend principalement de la façon dont il se sent aimé et accepté. Notre plus grande tâche est donc de lui faire sentir qu'il est aimé et accepté.

Il y a plusieurs raisons pour lesquelles tant de parents tombent dans ce piège de la punition, et arrivent à croire d'une certaine façon que leur plus grande responsabilité dans la discipline (dans l'éducation d'un enfant) est de le battre ou de le punir.

Une de ces raisons provient sûrement du nombre inoui de livres, d'articles, de cours, de programmes de radio, de sermons et de travaux qui préconisent le châtiment corporel tout en ignorant ou en élagant les autres besoins de l'enfant, en particulier l'amour. Il y a peu de gens qui plaident en faveur de l'enfant et de ses besoins réels. Il y en a trop aujourd'hui qui demandent avec dogmatisme que les enfants soient punis (ils appellent cela de la discipline) et qui recommandent les traitements les plus durs et les plus cruels. Le plus déroutant de tout, c'est que beaucoup de ces avocats se réclament d'une approche biblique. Ils citent trois versets du livre des Proverbes[2] afin de justifier les coups donnés à un enfant. Ils négligent de mentionner les centaines de textes de la Bible qui parlent d'amour, de compassion, de sensibilité, de compréhension, de pardon, de soins, de directives, de bonté, d'affection, de don de soi, comme si l'enfant n'avait aucun droit à ces expressions d'amour.

Les tenants du châtiment corporel semblent avoir oublié que le bâton du berger dont parle la Bible était utilisé presque exclusivement pour guider les moutons et non pour les battre. Les bergers dirigeaient calmement les brebis, particulièrement les agneaux, en mettant tout simplement leur bâton devant eux pour les empêcher d'aller dans le mauvais chemin, et avec patience ils les poussaient dans la bonne direction. Si le bâton avait été un instrument essentiellement utilisé pour battre, j'aurais vraiment de la difficulté à comprendre le Psaume 23 qui affirme, « ta houlette et ton bâton me rassurent[3] ».

Je n'ai jamais remarqué un de ces avocats du châtiment dire qu'il y a des moments où le châtiment puisse même être nocif. Trop de parents sont sortis de réunions ou ont terminé des lectures avec l'idée que le châtiment corporel est le premier et même l'unique moyen d'entrer en contact avec un enfant.

LES RÉSULTATS DE CETTE APPROCHE

J'ai pu voir les résultats de cette approche. Les enfants deviennent passifs, malléables, très tranquilles, effacés et facilement contrôlables lorsqu'ils sont jeunes. Mais ils n'ont pas un lien d'amour fort et sain avec leurs parents. Puis, graduellement, à l'adolescence, on les retrouve méfiants, rancuniers, difficiles à contrôler, centrés sur eux-mêmes, égoïstes, insensibles, sans affection, sans pardon, sans compassion, déplaisants et réactionnaires.

Une recommandation de la Bible serait très utile ici: «Et vous, pères, n'irritez pas vos enfants, mais élevez les en les corrigeant et en les instruisant selon le Seigneur[4].» Qu'est-il arrivé aux pauvres enfants que nous venons de décrire? Oui, ils ont été irrités et amenés à la colère par une discipline dure et mécanique (principalement punitive), appliquée en dehors du fondement de l'amour inconditionnel.

Avez-vous déjà remarqué ces traits de caractère trompeurs chez un jeune enfant contrôlé principalement par le châtiment? Oui, il est aisément contrôlé ainsi. C'est pourquoi tant de parents tombent si facilement dans ce piège. Quand un enfant est jeune, son comportement peut être en général bien manipulé par le seul châtiment physique. Il est bien manipulé si vous considérez que la soumission docile, le manque de spontanéité, le manque de confiance en soi et la docilité anxieuse font un bon comportement.

À ma surprise, j'ai rencontré pourtant un grand nombre d'enfants élevés par les punitions, et particulièrement les punitions physiques, et qui étaient difficiles à manier même très jeunes. Ces malheureux enfants étaient sévèrement battus mais les fessées devenaient vite sans effet et souvent ces enfants ne pleuraient même plus. Avant de venir me voir, leurs parents avaient essayé de mettre en pratique tous les conseils qui leur avaient été donnés, allant des châtiments les plus sévères (comme pincer le muscle trapèze), aux bonbons donnés en récompense ou au séjour dans une garderie rigide. Dans chaque cas, le problème était le manque de lien d'amour parents-enfant. Ces enfants ne se sentaient pas véritablement aimés et acceptés. À un âge très précoce, la rancune et la méfiance se sont développés à un tel point que même le châtiment corporel ne pouvait plus maîtriser les attitudes, à cause d'un manque d'amour inconditionnel. *Il ne faut pas mettre la charrue avant les bœufs*. Allons, chers parents, remettons les choses à leur place. Pratiquons d'abord l'amour inconditionnel et *ensuite* la discipline. Mettons les bœufs en avant de la charrue. Cet ordre créera une relation positive entre les parents et l'enfant et réduira au minimum les interactions négatives, telles le châtiment corporel. Remarquez que je ne dis pas que l'amour inconditionnel abolit le châtiment corporel. J'aimerais bien cela, mais cela ne se peut pas. Plus le lien d'amour parents-enfant est véritable et inconditionnel, plus leur relation sera positive, minimisant ainsi le besoin de châtiment. Malheureusement, il y aura des moments où la punition sera nécessaire et nous verrons cela plus loin.

Pour résumer, disons qu'un enfant répond bien à la discipline quand nous, les parents, lui donnons ce dont il a besoin. Un enfant ne peut bien apprendre que s'il est heureux, se sent en sécurité, content, confiant, accepté et aimé. Vouloir qu'un enfant apprenne et soit discipliné sans que nous lui donnions ce dont il a besoin est déjà assez cruel, sans qu'en plus, on le batte parce qu'il ne remplit pas nos exigences. Nous traitons nos animaux mieux que ça.

Laissez-moi vous raconter un incident. Une fois, un entraineur de football junior très agressif avait menacé de frapper ma fille de 13 ans avec une palette parce qu'elle parlait en mangeant, à la cafétéria de l'école. J'appelai le directeur et lui demandai si, dans son école, on acceptait que des enfants soient battus (surtout de jeunes adolescentes par des professeurs masculins, avec toutes les implications sexuelles reliées à un tel acte.) Il me répondit: «oui!». Lorsque je lui demandai s'il battait son chien, il me dit: «non!». Je devine pourquoi les enfants méprisent et résistent de plus en plus à l'autorité. Peuvent-ils faire autrement?

LE PIÈGE DU CHÂTIMENT CORPOREL

Une raison importante pour laquelle il est dangereux d'utiliser le châtiment corporel comme moyen de contrôler la conduite, c'est qu'il atténue le remords de la faute chez l'enfant. Le châtiment corporel dégrade, déshumanise et humilie un enfant. Comme résultat, l'enfant arrive à penser que les coups en eux-mêmes sont une punition suffisante. Si le châtiment corporel est appliqué fréquemment et avec sévérité, il n'y aura même plus ce soulèvement de remords qui permet à un enfant d'acquérir une conscience droite. En dehors du fondement de l'amour inconditionnel, les phases normales du développement de l'enfant, en particulier une bonne identification parentale, ne progresseront pas, entravant la formation d'une conscience saine. On oublie trop le facteur positif et important du remords et on le considère comme un sentiment superflu. Trop de remords est nuisible certes, mais une juste reconnaissance des fautes est vitale dans le développement et le maintien d'une conscience normale.

Une conscience saine qui établit des limites intérieures raisonnables à la conduite d'un enfant est vraiment préférable à une conscience contrôlée par la peur ou à une conscience sans contrôle aucun. D'après vous, qu'est-ce qui permet à un adolescent heureux et bien équilibré de contrôler son comportement? C'est sa conscience. Le meilleur moyen d'empêcher votre enfant d'acquérir une conscience normale et éveillée qui lui permettra de *se contrôler lui-même*, c'est de baser son éducation sur le principe des punitions et de contrôler sa conduite par des fessées et des remontrances, surtout par des fessées.

Une autre conséquence tragique du châtiment corporel, c'est l'identification avec l'agresseur. C'est également un mécanisme qui entraîne l'absence de remords. Un enfant s'identifie et s'associe au parent qui punit, et finit par penser qu'être agressif et répressif est normal. Quand cet enfant sera parent, il traitera ses enfants comme il a été traité. Les parents abusifs aussi ont été souvent eux-mêmes maltraités par leurs parents. Cette façon d'utiliser le châtiment corporel (ou la menace de l'utiliser) comme moyen principal de maîtriser un enfant se transmet de génération en génération. Avec la présence effrayante de la violence dans tous les médias de masse, en particulier à la télévision, est-il surprenant que maltraiter des enfants et toutes les autres formes de violence soient devenues une honte nationale? Si les parents que nous sommes n'arrivent pas à proclamer les besoins indispensables d'un enfant, à savoir l'amour inconditionnel et la discipline aimante, la situation empirera. Nous, parents, devons nous opposer à toutes les pressions qui sont faites pour que les enfants soient battus et corrigés (confondant ainsi le châtiment corporel avec la discipline) et qui insistent pour que ce genre d'éducation soit le seul qui existe. Êtes-vous conscient que beaucoup parmi ces gens n'ont pas d'enfant eux-mêmes? À moins que nous ne donnions à un enfant l'amour dont il a désespérément besoin, il souffrira et nous aussi.

Je vous invite, chers parents, à vérifier toutes les statistiques au sujet de nos enfants et de nos adolescents, statistiques concernant leurs dossiers scolaires, leurs attitudes, leur respect de l'autorité, leurs troubles émotifs, leurs motivations, l'usage des drogues, la criminalité, etc... La situation est horrible. Je soutiens que la raison principale de ces problèmes sociaux de notre jeunesse d'aujourd'hui réside dans le fait que nos enfants ne se sentent pas véritablement aimés et acceptés. Face aux incitations assourdissantes des «disciplinaires» (orientés vers le châtiment) d'un côté, et des promoteurs de programmes vagues et difficiles à suivre, d'un autre côté, les parents sont plus que perplexes.

Utiliser un programme basé sur des techniques de modification du comportement comme moyen de base pour éduquer votre enfant est aussi une erreur. De même que la punition, ces programmes ont leur place dans l'éducation des enfants et peuvent être utiles, mais non en tant que *moyen principal d'établir une relation avec un enfant*. Quelques-uns de ces programmes semblent assez bons mais généralement leurs techniques sont employées à la place de l'amour inconditionnel et de la discipline aimante. L'erreur est là. Ces techniques d'appoint peuvent être très valables dans certaines situations (nous les mentionerons plus loin), mais d'abord, en tant que parents, nous devons veiller à ce que le réservoir émotionnel de notre enfant soit aussi plein que possible avant de recourir au châtiment ou à des techniques spécifiques. Dans la plupart des cas, si un enfant reçoit une quantité suffisante d'amour inconditionnel et de discipline aimante, les parents n'ont pas besoin de recourir au châtiment ou à des programmes. Oui, ces programmes dans certaines circonstances sont bien utiles mais convainquons-nous que ce n'est pas ce qu'il y a de mieux; ce qu'il y a de mieux, c'est l'amour approprié et des directives aimantes.

Nous voulons donc avoir la relation la plus positive, la plus plaisante et la plus aimante possible avec un enfant. Nous voulons également qu'il parvienne à un bon contrôle de lui-même et qu'il agisse bien selon son âge... Pour que ces deux événements précieux se réalisent il faut que les parents donnent deux choses à leur enfant. Premièrement, il faut qu'ils lui donnent de l'amour inconditionnel et qu'ils le lui donnent d'une façon appropriée. Deuxièmement, il faut qu'ils lui donnent une discipline aimante, ce qui veut dire qu'ils doivent le diriger de la façon la plus positive possible. Ils doivent le diriger par tous les moyens disponibles de sorte que l'estime propre de l'enfant soit rehaussée et non diminuée ou détruite. Ils doivent le diriger de façon positive en vue d'une bonne conduite, ce qui est bien supérieur à distribuer des châtiments négatifs dans des cas de mauvaise conduite.

Mais, malgré tout le travail positif que nous pourrons faire en tant que parents, un enfant peut, à un moment donné, se conduire mal. C'est inévitable. Il n'y a pas de parents parfaits et il n'y a pas d'enfant parfait.

Nous allons voir maintenant comment nous occuper d'une mauvaise conduite chez un enfant.

1. Matthieu 7, 7-11
2. Proverbes 23, 13; 29, 15; 13, 24
3. Psaume 23, 4
4. Éphésiens 6,4

9

Une discipline aimante

Jusqu'à maintenant, nous avons exploré les façons de transmettre à notre enfant un amour inconditionnel, par l'utilisation adéquate du contact visuel, du contact physique, de l'attention concentrée et de la discipline. Nous avons vu combien il était important de s'assurer que le réservoir émotionnel de notre enfant soit comblé, car ce n'est que sous cette condition qu'il est capable d'atteindre au meilleur de ses capacités. Nous avons découvert dans le dernier chapitre qu'un encouragement à bien faire était beaucoup plus positif qu'un châtiment pour avoir mal agi. Nous avons terminé ce chapitre en disant qu'inévitablement tout enfant se conduit mal à un moment donné. Nous allons donc considérer comment on peut s'occuper de régler l'inconduite d'un enfant.

Auparavant nous devons comprendre que les enfants pensent d'une façon irrationnelle. Il faut étudier ce point important avec attention. Tous les enfants ont besoin et veulent de l'amour. Ils ressentent ce besoin mais ils le demandent d'une façon irrationnelle et immature.

Voyons d'abord de quelle façon on peut chercher à être aimé, d'une façon rationnelle. Supposons qu'un homme nommé Jim aime une femme nommée Carla. Comment pourrait-il gagner son amour? En agissant d'une façon immature, en se présentant sous son plus mauvais jour, en geignant, en boudant, en étant têtu et exigeant? Bien sûr que non. Si Jim a de la maturité, il se montrera sous son meilleur jour. Il sera calme, agréable, gentil. Il cherchera à se rendre utile et sera plein de considération. Même s'il doute de l'amour de Carla, il ne se mettra pas à agir bêtement, il cherchera à le mériter à ses yeux. Voilà une façon rationnelle d'obtenir de l'amour.

Mais ce n'est certainement pas ainsi qu'un enfant agit. Plus il est jeune, moins il a de maturité. Vous voyez ce que je veux dire. Moins un enfant est mature, plus il est irrationnel. Il sait instinctivement combien il a désespérément besoin d'amour, mais il ne cherche pas en tant que tel à le mériter ou à le gagner. Cette logique est au-delà de sa capacité présente de compréhension. Il parviendra à cette logique éventuellement (peut-être pas) mais il ne l'a pas en naissant.

Que fait donc un enfant et surtout un très jeune enfant? Il communique fondamentalement par son comportement. Il demande sans cesse: « M'aimez-vous? ». Notre réponse à cette question détermine beaucoup de choses. Elle détermine le respect qu'il aura de lui-même, ses attitudes, ses sentiments, ses relations avec ses semblables, etc,... Si son réservoir émotionnel est plein, cela paraîtra dans sa conduite. S'il est vide, cela se verra de la même manière. Donc, la majeure partie du comportement d'un enfant est déterminée par le sentiment qu'il a d'être aimé ou non.

C'est là, la façon irrationnelle d'agir d'un enfant. Au lieu de gagner notre amour et notre affection par une bonne conduite, à sa façon il va continuellement *tester* notre amour par son comportement. « M'aimez-vous ? ». Si nous répondons positivement à cette question vitale, tout va bien. Cette tension qui lui fait rechercher de l'amour sera enlevée et sa conduite pourra être plus facilement contrôlée. Si l'enfant ne se sent pas aimé, il va être obligé de reposer cette question, « m'aimez-vous ? », avec plus d'insistance et à sa façon, il forcera la note à travers son comportement. Nous pouvons trouver que ce comportement est désagréable mais il n'y a qu'un nombre limité de gestes qu'un enfant peut poser dans un tel cas et la plupart sont désagréables à nos yeux. Il est clair que lorsque quelqu'un est suffisamment désespéré, sa conduite devient inappropriée et désagréable. Et il n'y a rien qui désespère plus un enfant que le manque d'amour.

Vous avez ici la cause première du mauvais comportement d'un enfant. Lorsque son réservoir est vide, il hurle à travers son comportement : « m'aimez-vous ? ». Est-il alors juste et sage d'exiger de l'enfant une bonne conduite avant de l'avoir rassuré sur notre amour, avant d'avoir rempli son réservoir émotionnel ?

DE QUOI CET ENFANT A-T-IL BESOIN ?

Je vous donne un exemple. Ma fille de 16 ans, Carey, est allée dans un camp de vacances l'été dernier. Mon fils de 9 ans est devenu alors l'aîné de la maison et cela lui plût. Il se mit à agir avec plus de maturité et à rechercher plus de responsabilités. David aimait ce rôle. C'était formidable.

Le problème s'est présenté lorsque Carey revint à la maison. Le jour même de son retour, la conduite de David régressa. Il se mit soudainement à être pleurnichard, mécontent, boudeur, presque fâché et replié sur lui-même.

Qu'était-il arrivé ? Pourquoi ce changement soudain et complet chez David ? Que devais-je faire en tant que père ? Punir David pour sa mauvaise conduite ? Renvoyer ma fille Carey au camp ? Lui dire que son jeune frère de cinq ans agissait mieux que lui? Qu'auriez-vous fait?

Et bien, voici ce que j'ai fait, et pourquoi. Évidemment le retour de Carey à la maison et le fait qu'elle reprenne sa place d'aînée fut un dur coup pour David. Par sa conduite il se mit à questionner: « m'aimez-vous? M'aimez-vous maintenant que Carey est de retour à la maison et que je ne suis plus l'aîné? Comment votre amour pour moi se compare-t-il à celui que vous avez pour Carey? A-t-elle plus d'importance que moi? Peut-elle prendre l'amour que vous avez pour moi?» Oh! La souffrance d'un enfant dans ces circonstances.

Si je punissais David à ce moment, comment penserait-il que je réponds à sa question « m'aimez-vous?». Le plus vite possible, je le pris avec moi, tout seul, je le serrai dans mes bras et nous nous sommes mis à parler. Je lui dis avec des manières de garçon combien je l'aimais. Je lui donnai des contacts visuels et physiques. Alors que son réservoir émotionnel se remplissait, son humeur changea et redevint gaie et ouverte. David était à nouveau heureux et sa conduite bonne. Ce fut un de ces moments spéciaux dont nous avons déjà parlé. Je pense qu'il n'oubliera jamais ce temps précieux que nous avons passé ensemble. Moi, je ne l'oublierai pas.

Vous pensez que je suis un père parfait. Je ne le suis pas. J'ai fait de nombreuses erreurs, mais cette situation, je l'ai maîtrisée comme il le fallait.

Tout cela nous amène à comprendre que lorsque notre enfant se conduit mal, nous devons nous demander: « De quoi cet enfant a-t-il besoin?». Les parents ont plutôt tendance à se dire: « Que vais-je faire pour corriger cet enfant?». Malheureusement cette question conduit la plupart du temps au châtiment. Il est alors difficile de considérer les véritables besoins de l'enfant, et nous finissons par lui donner une fessée ou l'envoyer dans sa chambre. Il est évident que de cette façon, l'enfant ne se sentira pas aimé.

Nous devrions toujours commencer par nous demander: «De quoi cet enfant a-t-il besoin?». À partir de cette question, nous pourrons procéder avec *logique*. Ce n'est qu'ainsi que nous pourrons nous occuper d'un mauvais comportement: donner à l'enfant ce dont il a besoin et lui permettre de se sentir véritablement aimé.

L'étape suivante consiste à nous demander: «L'enfant a-t-il besoin de contact visuel, de contact physique, d'attention concentrée? Bref, son réservoir émotionnel a-t-il besoin d'être rempli?». En tant que parents, nous avons la responsabilité de connaître la cause de sa mauvaise conduite. Si elle est causée par le manque d'un de ces besoins, nous devons d'abord y voir. Si nous ne comblons pas ces carences, nous ne pourrons régler la conduite d'un enfant.

Cela me fait penser à un évènement récent concernant mon fils de cinq ans. Après avoir été absent pendant quelques jours, je venais de rentrer à la maison. Notre fils, Dale, se comportait de manière irritante à mon égard et à l'égard de tout le monde. Il faisait toutes sortes de singeries pour embêter toute la famille et surtout son frère de neuf ans, David. Voyez-vous, Dale sait exactement quoi faire ou dire pour faire sortir David de ses gonds. David fait la même chose avec lui. En fait, lorsqu'un de nos fils agace l'autre, ma femme et moi y voyons tout de suite un premier indice qu'il y a quelqu'un qui a besoin de faire le plein d'amour.

Donc, ce jour-là, Dale était particulièrement difficile. Il harcelait son frère, boudait et avait des exigences extravagantes. Ma première impulsion fut de le reprendre sévèrement, quelque chose comme l'envoyer se coucher ou lui donner une fessée. En fait, je m'arrêtai et pensai: «de quoi a-t-il besoin?». La réponse vint très vite. J'avais été absent et il ne m'avait pas vu pendant trois jours; depuis mon arrivée, je ne m'étais pas encore vraiment occupé de lui. Il avait un manque d'attention concentrée. Alors l'enfant posait sa question rituelle: «m'aimes-tu?»; en fait Dale demandait: «m'aimes-tu encore après être parti si longtemps et en agissant comme si cela ne m'avait pas affecté?». Soudain son comportement prenait un sens. Il avait désespérément besoin de son père et son père ne répondait pas à ce besoin. Si je lui avais donné autre chose que ce dont il avait besoin, — de moi —, sa conduite aurait empiré. Oui, si je lui avais donné une fessée, il aurait été profondément troublé, plein de rancune et j'aurais perdu l'occasion de lui donner un de ces moments spéciaux.

Je ne sais vous dire combien je suis heureux de ne pas avoir gâché la situation. J'ai amené Dale dans notre chambre, je l'ai serré dans mes bras et je n'ai rien dit. Cet enfant normalement si actif était là sans bouger contre moi. Assis sur moi, il se nourrissait d'un aliment impalpable. Graduellement, alors que son réservoir émotionnel se remplissait, il revint à la vie. Il se mit à parler de manière confiante, détendue, spontanée et heureuse. Après une courte conversation au sujet de mon voyage, il sauta en bas du lit et se sauva. Où? Chercher son frère. Quand je rentrai dans la salle familiale, ils jouaient ensemble avec satisfaction.

Nous voyons d'après cet exemple comme il est essentiel de toujours, au préalable, se poser cette question: «De quoi cet enfant a-t-il besoin?». Si nous ne le faisons pas, nous allons très certainement le punir pour sa conduite. Nous allons perdre des chances d'accorder à notre enfant quelques-uns de ces moments spéciaux extrêmement importants. Nous allons punir un enfant dans des circonstances qui le blesseront et qui susciteront en lui de la colère et de la rancune.

Chers parents, si vous ne comprenez pas cela, vous avez perdu votre temps à lire ce livre. La mauvaise conduite ne doit pas être tolérée, mais si on s'en occupe mal, trop durement ou trop lâchement, il y aura des problèmes avec votre enfant. Oui, il faut enrayer une mauvaise conduite, nous ne devons pas la tolérer *mais le premier mouvement ne doit pas être la punition*. La punition est occasionnellement nécessaire, mais à cause des effets négatifs de l'abus, elle ne doit être utilisée qu'en dernier recours. Il vaut beaucoup mieux s'occuper d'une mauvaise conduite de façon positive, en particulier à travers l'amour véritable et l'affection, plutôt que de punir l'enfant, surtout par un châtiment corporel. Donc, le premier pas à faire, dans toutes les situations, est de s'assurer que les besoins émotifs de l'enfant sont satisfaits. Son réservoir émotionnel doit être rempli avant toute autre action de la part de parents consciencieux.

Y A-T-IL UN MALAISE PHYSIQUE?

La question suivante à se poser devant un mauvais comportement est celle-ci: « Y a-t-il un malaise physique qui entraîne ce mauvais comportement? ». Plus un enfant est jeune, plus sa conduite est affectée par son état physique. L'enfant a-t-il faim? Est-il fatigué? Est-il malade? Couve-t-il une grippe ou un rhume? A-t-il une douleur ou un malaise quelconque?

Cela ne veut pas dire que la mauvaise conduite devrait être tolérée si une telle raison existe. (À mon avis, elle ne devrait jamais être tolérée). Il faut qu'en tant que parent, nous nous souciions de ce qui cause la mauvaise conduite autant que de la mauvaise conduite elle-même. Il est certainement préférable de rectifier la mauvaise conduite d'un enfant en lui donnant ce dont il a besoin, un contact visuel, un contact physique, une attention concentrée, de l'eau, de la nourriture, une sieste, un soulagement à sa douleur ou un traitement pour sa maladie plutôt que de le punir. La punition peut être parfois nécessaire, mais nous devons d'abord être certains qu'un enfant est bien physiquement et émotivement.

Comment savoir quand la punition est appropriée et quand elle est destructrice? C'est une excellente question. Elle nous amène à la prochaine étape de notre cheminement logique concernant l'inconduite des enfants.

APPRENEZ À PARDONNER

Selon mon expérience, le temps le plus malencontreux pour punir un enfant, c'est quand il se sent sincèrement désolé de ce qu'il a fait. Le mot-clé de cette phrase est « sincèrement ». Si un enfant ressent un regret sincère à la suite d'une mauvaise action, la punition (et surtout le châtiment corporel) est nuisible. Elle est nuisible principalement à deux niveaux.

Premièrement, si un enfant est déjà peiné à cause de son acte inapproprié, cela signifie que sa conscience est bien vivante et en bon état. N'est-ce pas ce que nous souhaitons? Il a appris quelque chose à la suite de son erreur. Une conscience active et saine est le meilleur moyen de ne pas répéter une erreur. La punition particulièrement le châtiment corporel, réduirait les sentiments normaux de culpabilité et de regret et encouragerait la possibilité que l'enfant oublie ces sentiments et répète la même erreur.

Deuxièmement, le fait de punir un enfant dans ces conditions engendrerait en lui des sentiments de colère. Lorsqu'un enfant se sent déjà contrit et plein de regret à cause de son acte, sa conscience travaille avec force. Il se punit lui-même. Il a alors besoin de sentir cette assurance qu'il recherche que, même si son acte était mauvais, il est un bon enfant. Il a désespérément besoin de cette assurance à ce moment-là. Si donc vous faites l'erreur de le punir au moment où il a douloureusement besoin d'affection, vous lui faites très mal. Dans de telles circonstances, l'enfant va croire qu'il est une mauvaise personne, et que ses parents le voient ainsi. Il en résultera des sentiments de colère, de douleur, de rancune et souvent d'amertume que l'enfant gardera indéfiniment.

Que devrions-nous faire lorsqu'un enfant a commis une erreur et qu'il est véritablement désolé à ce sujet et plein de regrets? Sur ces points là, la Bible nous est d'une très grande aide. Lorsque nous faisons mal et que nous le regrettons, que fait notre Père céleste? Il nous pardonne. Pensons à ce verset des Psaumes: «Comme un père a compassion de ses enfants, l'Éternel a compassion de ceux qui le craignent[1].» Comment pouvons-nous oublier cette tendresse, cette compassion et le pardon que notre Père céleste nous accorde dans de telles circonstances, et punir nos propres enfants?

L'apôtre Paul nous a mis en garde contre cette erreur quand il écrit: «Et vous, pères, n'irritez pas vos enfants mais élevez-les en les corrigeant et en les instruisant selon le Seigneur[2].» Personnellement, je ne connais aucun moyen plus sûr de provoquer la colère d'un enfant, son ressentiment et son amertume que de le punir, surtout physiquement, lorsqu'il est sincèrement désolé de sa conduite. Dans ces circonstances, nous devons apprendre à pardonner.

Une autre raison importante pour laquelle nous devons pardonner à un enfant dans de telles circonstances, est qu'il a besoin d'apprendre à se sentir pardonné dans l'enfance, sinon il aura des problèmes à maîtriser le sentiment de culpabilité. Nous voyons tant de gens aujourd'hui (y compris des Chrétiens) bourrés de remords parce qu'ils n'ont jamais appris à se sentir pardonnés. Ces personnes peuvent avoir reçu déjà un véritable pardon de la part de Dieu ou des personnes offensées, mais elles *sentent* encore la culpabilité même si elles sont pardonnées. Nous pouvons épargner à un enfant de tels problèmes avec le sentiment de culpabilité, si nous lui enseignons à le maîtriser, et cela en lui permettant de se sentir pardonné lorsqu'il est sincèrement affligé par sa mauvaise conduite.

UNE FENÊTRE BRISÉE

Je me souviens d'une expérience que j'ai vécue à ce sujet. Je ne voudrais pas cependant que vous croyez que je suis un père parfait et que je me cite toujours en exemple. Je n'agis pas toujours à ma satisfaction mais quand cela est le cas, il me fait plaisir d'en parler. Il y a des avantages à être écrivain. Je veux seulement donner un exemple pour me faire comprendre.

Donc, dernièrement, je rentrais à la maison après une dure journée où beaucoup de choses avaient mal marché. J'étais épuisé et je ne me sentais vraiment pas au mieux de ma forme. En sortant de la voiture, mon garçon de neuf ans vint à ma rencontre. D'habitude, David a un grand sourire au visage et il saute gentiment pour me donner la bise. Cette fois-ci, c'était différent. Son visage était long et ravagé. Il me regardait tristement avec ses beaux yeux bleus et me dit: «Papa, il faut que je te dise quelque chose». À cause de mon état d'esprit, je ne me sentais pas capable de m'occuper d'un gros problème à cet instant. Je lui dit: «Plus tard, David, d'accord?». Il me regarda avec intensité et répliqua: «Pourquoi ne pas en parler maintenant, papa?».

À ce moment, je m'apprêtais à ouvrir la porte arrière. En remarquant un carreau de fenêtre brisé, je me mis à penser que c'était cela qui inquiétait David.

Parce que je me sentais irritable, je me disais que je m'occuperais de cela beaucoup mieux quand je serais détendu. Mais David m'avait suivi dans la chambre à coucher et il continuait: «S'il te plaît, parlons-en maintenant, papa». Avec son regard suppliant, que pouvais-je dire? Je répliquai, comme si je ne l'avais pas deviné: «D'accord, David, de quoi veux-tu parler?».

David me raconta comment lui et ses amis, en jouant au baseball près de la maison, avaient cassé une vitre avec une balle manquée. Il savait qu'il avait mal fait et il était de toute évidence vraiment désolé. Par son comportement, il demandait: « M'aimes-tu encore après ce que je viens de faire? »

J'ai pris mon garçon sur mes genoux et je l'ai gardé contre moi pendant quelques instants en lui disant: «Ce n'est pas grave, David; ce sont des choses qui arrivent. Nous réparerons la fenêtre. Tâche seulement de jouer plus loin de la maison, d'accord?».

Ce fut un moment heureux. David se sentit immédiatement soulagé. Il pleura un peu et resta encore quelques instants dans mes bras. Je sentais l'amour jaillir de son cœur. Ce fut un des moments les plus merveilleux de ma vie. Puis David fut à nouveau joyeux et radieux. Il se leva et partit.

J'ai beaucoup appris d'un simple fait de ce genre. Cela fut encore une de ces occasions qui n'arrivent pas chaque jour. Un enfant ne se sent pas toujours véritablement attristé par sa conduite. C'est pour cela que nous devons veiller à reconnaître quand c'est le cas afin d'en tirer un bon parti. C'est dans ces moments-là que nous pouvons faire comprendre à un enfant que bien que nous n'aimions pas ce qu'il a fait, nous l'aimons, lui, sans restriction. Nous l'aimons inconditionnellement.

Lorsque nous pardonnons à un enfant sa mauvaise conduite, cela ne veut pas dire que nous lui en enlevons la responsabilité. On peut lui demander de réparer l'objet brisé ou de payer la réparation. Dans le cas de David qui a cassé une vitre j'aurais pu, de façon positive, lui faire payer la réparation. Il aurait pu pour cela, faire de menus travaux. Mais nous devons veiller à ce que nos exigences de restitution soient en accord avec l'âge de l'enfant, son niveau de développement et son habileté.

Nous ne devons pas non plus nous laisser manipuler. Je suis certain que vous avez déjà entendu un enfant dire: « je suis désolé », alors qu'il ne l'était pas. Il arrive fréquemment qu'un enfant dise: « je suis désolé» dès qu'il pense qu'il va être puni. Cela ne veut pas dire qu'il est véritablement attristé ou repentant et nous devons savoir faire la différence.

Heureusement, il est rarement difficile de voir si un enfant est vraiment attristé ou pas. L'indication la plus claire qu'un enfant nous manipule est le fait qu'il répète sa mauvaise action. Si David avait continué à jouer près de la maison après cet incident, j'en aurais conclu que j'avais été manipulé et que je devais prendre d'autres mesures.

Si un enfant essaie souvent de manipuler ses parents de la sorte, il faudrait s'inquiéter. Cela pourrait indiquer que son sens du bien et du mal se développe d'une façon tordue. Il pourrait être en train d'apprendre à utiliser le mensonge pour gagner un avantage et échapper à la punition. Ce genre de conduite apparaît quand on ne prend pas la peine de placer les bœufs avant la charrue. Quand des parents éduquent un enfant en utilisant principalement la punition pour contrôler sa conduite plutôt que de remplir d'abord ses besoins émotifs, l'enfant invente toutes sortes de trucs pour y échapper. Un de ces trucs est de dire: «je suis désolé», lorsqu'il voit ses parents se fâcher ou s'émouvoir au sujet de sa conduite. Cette situation est dangereuse. Un enfant apprend ainsi à être hypocrite, malhonnête, calculateur, manipulateur et insensible. Il n'y a qu'une denrée qui peut arrêter cette situation et en renverser le cours, c'est l'amour inconditionnel.

Dans un tel cas le bon jugement des parents est absolument nécessaire. Ce sont les parents qui peuvent le mieux discerner si un enfant est sincère et honnête. Si un enfant est fréquemment menteur et hypocrite, il y a des problèmes en perspective et il faudrait rechercher de l'aide.

Cependant tout enfant peut agir ainsi à l'occasion comme tout enfant peut à l'occasion se sentir réellement désolé pour un mauvais geste. Des parents prudents et sages verront la différence, la discerneront et sauront s'occuper de chaque situation correctement.

En résumé, pardonnez à votre enfant lorsqu'il se sent réellement désolé et repentant pour une erreur. Ces occasions rares de pardon sont uniques. Faites-lui savoir sans l'ombre d'un doute que vous le comprenez, que vous vous inquiétez à son sujet et que vous l'aimez profondément, en dépit de sa conduite. Voilà ce qu'est l'amour inconditionnel.

1. Psaume 103, 13
2. Ephésiens 6, 4

10

La discipline — proposer et ordonner, récompenser et punir

Nous avons étudié jusqu'à présent les aspects les plus importants et les plus fondamentaux de l'éducation d'un enfant. Si ces principes sont appliqués correctement, la majorité des problèmes que pose l'éducation d'un enfant seront évités et allégés. En remplissant les besoins émotifs d'un enfant et en appliquant une discipline aimante, nous permettons la création d'un lien d'amour parents-enfant sain, fort et positif. Lorsqu'un problème quelconque surgit, les parents doivent réexaminer les besoins de l'enfant et les combler avant de faire quoi que ce soit d'autre.

Rappelez-vous, je vous prie, ce que nous avons dit dans les neuf chapitres précédents. Je crains tellement qu'il y ait des parents qui soient intéressés par la seule lecture du présent chapitre qui, justement, ne doit pas être là sans le reste. Il y a des parents qui lisent ce livre juste pour y glaner les éléments qui leur permettront de justifier leurs notions préconçues au sujet de l'éducation des enfants. Je crains qu'il y ait des parents qui appliquent seulement cette section du livre; ils passeront complètement à côté du fait que la punition ne doit être employée qu'en dernier recours.

J'espère que vous n'êtes pas de tels parents. J'espère que vous appliquerez d'abord les neuf premiers chapitres avant d'appliquer celui-ci. Je vous en prie, aimez votre enfant sans condition et donnez-lui beaucoup de contact visuel, de contact physique et d'attention concentrée. Je vous en prie, veillez à ne pas souiller l'amour de votre enfant par un esprit possessif ou séducteur, par le désir de vivre par procuration ou l'envie de renverser les rôles. Je vous en prie, éduquez votre enfant avec des moyens *positifs*, tels que les propositions de conduite et l'exemple. Lorsqu'un enfant se conduit mal, demandez-vous s'il a besoin de contact visuel, de contact physique, d'attention concentrée, de repos ou d'eau, et comblez d'abord ces besoins. Lorsque votre enfant ressent du regret, qu'il est désolé et repentant quand il agit mal, je vous en prie, pardonnez-lui, et dites-lui qu'il est pardonné.

Chers parents, si vous faites cela avec soin, et si d'autres facteurs, tels que votre mariage, sont satisfaisants, les choses devraient aller sans problème avec votre enfant. Il devrait être heureux et répondre à votre affection, il devrait être bien élevé et faire ce que vous lui demandez de faire sans trop de difficultés (cela est en rapport avec son âge et son niveau de développement). Je ne dis pas que tout va être *parfait*, mais vous devriez être satisfait de votre enfant, de votre relation avec lui et de la manière dont il progresse.

Je répète tout cela ici car c'est une erreur de croire que la punition en elle-même va produire autre chose que des résultats négatifs. Le châtiment en dehors du fondement ferme de l'amour inconditionnel et de la discipline aimante ne peut pas faire autre chose que de créer une relation faible entre les parents et leur enfant. Malheureusement, c'est une forme d'éducation courante à notre époque. C'est pourquoi les enfants d'aujourd'hui ont des problèmes sans précédent dans tous les domaines.

LES PROPOSITIONS DE CONDUITE

On obtient une bonne conduite chez l'enfant en la lui proposant d'abord. C'est là, le moyen le plus positif d'obtenir une bonne conduite. Ce qui est important, c'est de proposer à l'enfant le sens d'une responsabilité personnelle. L'enfant sent qu'une bonne conduite est autant sa responsabilité que celle de ses parents qui doivent veiller à sa réalisation. Un enfant sait, en quelque sorte, qu'il a le choix d'agir comme il veut. Lorsque des parents font appel à sa bonne conduite, l'enfant sait que ses parents comprennent qu'il a la capacité de penser et de prendre des décisions lui-même, qu'il a le contrôle de son comportement et qu'il doit apprendre à en être responsable. Lorsque les parents utilisent des propositions à la place des ordres, l'enfant considère que ses parents s'allient à lui pour l'aider à modeler sa propre conduite. Cela est très important.

Si les parents emploient principalement des ordres pour exiger une bonne conduite, l'enfant sera peut-être obéissant et bien élevé, mais il aura cependant tendance à agir correctement seulement parce que papa et maman l'exigent et non parce qu'il comprend que c'est ce qu'il y a de mieux pour lui. Il ne verra pas alors ses parents associer leurs efforts aux siens en vue de son meilleur intérêt personnel. Il les verra, plutôt, exigeant une bonne conduite pour des raisons d'ordre, de tranquillité, pour leur propre agrément social, en fait pour leurs propres intérêts.

Il est essentiel de comprendre que proposer une conduite à l'enfant est un moyen agréable de donner des instructions. Cela ne nous rend pas plus permissif ou moins ferme. Présenter une demande est tout simplement un moyen plus réfléchi, plus plaisant et plus aimable de donner des instructions à un enfant. Ceci est vrai surtout si vous voulez que votre enfant aime faire les choses sans que cela ne lui déplaise.

Par exemple, en prenant un bain un jour, je m'aperçus qu'il n'y avait pas de serviette dans la salle de bain. Mon fils de cinq ans passait par là. Je saisis donc l'occasion et lui demandai: «Dale, irais-tu en bas chercher une serviette pour ton papa, s'il te plaît?» Dale fut très heureux de dire oui, et il était de retour avec une serviette avant que j'aie eu le temps d'ajouter quoi que ce soit.

Un autre exemple: le professeur de religion de mon fils de neuf ans avait des problèmes de discipline avec les garçons. J'avais le choix entre prendre une attitude très autoritaire et exiger que David se comporte correctement, ou discuter du problème avec lui, clarifier la question et requérir sa coopération. Je choisis la dernière solution et conclus ma conversation en disant: «Je veux que tu sois attentif à ce que dit le professeur, que tu participes aux discussions et apprennes tout ce que tu peux. Le feras-tu, David?» Jusqu'à présent tout va bien.

L'INSTRUCTION DIRECTE

Il faut reconnaître cependant qu'une simple demande ne suffira pas toujours. À l'occasion les parents doivent être plus énergiques et donner leurs directives non par des propositions mais par des instructions directes (des ordres). Cela arrive généralement quand une proposition est faite à l'enfant et qu'il refuse d'en tenir compte. Avant que les parents fassent quoi que ce soit d'autre, ils doivent s'assurer que leur proposition était appropriée, qu'elle convenait à son âge, à sa compréhension et à sa capacité de la remplir. L'erreur la plus fréquente dans ce domaine est de demander à un enfant de faire une chose qu'il semble capable de faire alors qu'il ne l'est pas.

L'exemple classique est de demander à un enfant

de 4 ans de ramasser ses affaires tout seul. À moins qu'il n'y ait que très peu de choses à ranger, cette requête est irraisonnable. Un parent doit faire le travail *avec* l'enfant. Souvent le parent croit que l'enfant peut faire ce travail et se met en colère si l'enfant refuse de le faire ou ne réussit pas à le faire, et le punit au lieu de l'aider à accomplir son travail.

Un autre aspect important de l'utilisation des demandes chaque fois que cela est possible est que cela nous permet de déterminer si une tâche est raisonnable ou non. Vous connaissez votre enfant mieux que quiconque. Si auparavant il a toujours exécuté volontiers une tâche quand vous le lui demandiez et qu'à un moment donné, il refuse soudainement, il ne faut pas se fâcher et le punir. De toute évidence s'il n'a pas eu de problème avec cette tâche auparavant, c'est qu'il y a un problème maintenant. Vous voudrez sûrement savoir ce que c'est? Moi, je le voudrais. Je ferais de mon mieux pour découvrir le problème car cela peut être extrêmement important. J'aimerais beaucoup mieux m'occuper du problème et veiller à ce que mon enfant fasse la tâche volontairement plutôt que de le forcer à la faire avant de comprendre la situation. Si la raison du refus de mon enfant est légitime, alors il faudrait que ce soit moi qui soit puni de vouloir le forcer à faire cette tâche.

En tant que parent, j'ai la responsabilité de veiller à ce que mon enfant se conduise correctement, mais je suis aussi responsable de son bien-être total. Je dois veiller à ce que mon enfant ne soit pas blessé par la mauvaise utilisation de ma puissance et de mon autorité sur lui. Son bonheur futur et son bien-être dépendent très largement de l'utilisation de mon autorité parentale à son égard.

J'aimerais introduire ici une mise en garde. Plus les parents se servent des techniques autoritaires comme les ordres, les remontrances, les harcèlements ou les hurlements, moins ils deviennent efficaces.

Cela ressemble à l'histoire du petit garçon qui criait sans cesse « au loup! au loup! » et que plus personne ne croyait. Si les parents prennent l'habitude de présenter des demandes agréables, l'usage occasionnel d'ordres pourra être plus efficace. Plus les parents parlent avec autoritarisme à leur enfant, moins celui-ci sera obéissant. Cela est d'autant plus vrai quand, en plus d'être autoritaires, ils deviennent facilement fâchés, hostiles ou hystériques.

Par exemple, vous êtes-vous déjà trouvé dans un foyer où les tensions sont fortes? Dans ces foyers, les parents utilisent toute la force de leur autorité simplement pour amener leurs enfants à exécuter la routine des actes quotidiens. Quand ces pauvres parents ont besoin d'un surplus de force et d'autorité dans des situations inusitées et vraiment importantes, ils n'ont plus rien en réserve pour appuyer leurs exigences. Les enfants réagissent alors comme ils le font habituellement c'est-à-dire, qu'ils ne sont pas plus obéissants dans des situations d'urgence que pour des choses aussi simples que de lacer leurs chaussures.

Parents, gardons nos grandes envolées pour les situations vraiment importantes. Nous devons avoir des réserves d'autorité pour les situations critiques. Il est important de maintenir des rapports agréables avec un enfant par des demandes empreintes de considération et de raison, dans la plupart des situations.

Dernièrement, j'ai fait l'erreur d'utiliser un ordre énergique alors qu'une simple demande aurait été suffisante. Mes deux garçons et moi étions à la maison et je voulais que l'on fasse de l'ordre avant que ma femme ne revienne d'une session de conférences de fin de semaine. Je commençai à ranger moi-même, puis je demandai aux garçons d'aller ranger leurs chambres pendant que je faisais les lits. Lorsque j'allai les voir quelques instants après, ils étaient occupés à faire leur travail. Mais je remarquai qu'ils avaient jeté des vêtements dans le fond de l'armoire plutôt que de les suspendre. David et Dale sont généralement des garçons obéissants et faciles à contrôler. Un petit mot d'explication et une simple requête auraient suffi. Mais je me suis senti agacé et j'ai réagi avec exagération. Je me mis à hurler des ordres pour qu'ils suspendent ces vêtements qu'ils étaient en train de friper. Vous voyez l'erreur? Je n'aurais pas dû utiliser autant de force quand une simple explication et une demande auraient été suffisantes.

J'aurais dû conserver cette énergie pour un temps où j'aurais eu vraiment besoin d'une obéissance rapide, dans une situation difficile, comme le jour où nous venions de garer sur le terrain de l'église et que Dale marchait à côté de la voiture alors qu'une autre voiture reculait pour sortir de son emplacement. La situation était dangereuse. Je me mis à crier à Dale de venir à moi. Heureusement il comprit l'urgence dans ma voix et répondit immédiatement. Si j'avais eu l'habitude de hurler après Dale, je sais qu'il aurait réagi moins rapidement.

Voici un autre exemple qui arriva alors que mon fils David, neuf ans, et moi-même, nous jouions au baseball avec quelques amis. Nous nous sommes tous laissés entraîner par le jeu et le plaisir que nous avions, et nous avons joué trop longtemps. En conséquence, nous étions, à la fin, tous très fatigués. C'est alors que David tomba quand quelqu'un courut sur lui. Il se fit légèrement mal à la cheville mais, pour un garçon épuisé, cette douleur était plus qu'il ne pouvait supporter à ce moment-là. Il se fâcha contre la personne qui l'avait renversé et il se mit à le lui dire . Je vis que cela était un peu déplacé de la part de David mais aussi que c'était une bonne occasion de lui apprendre quelque chose.

D'abord j'étais convaincu que son réservoir émotionnel était plein. Il avait eu beaucoup d'affection, de contact visuel, de contact physique et d'attention concentrée durant cette fin de semaine. Donc, je lui présentai une demande. Je demandai à David de venir avec moi dans un endroit où je pourrais parler avec lui. Il était trop fâché pour répondre. C'est alors que j'eus besoin d'assez de force pour le contrôler; le premier niveau de l'utilisation de la force est de donner une instruction directe, un ordre. Je dis: «David, viens avec moi», d'un ton ferme. Il obéit immédiatement. Lorsque nous avons été seuls et alors qu'il commençait à se calmer nous avons pu parler de la colère qui amène à perdre le contrôle de notre conduite, et comment prévenir une telle situation. Ce fut un moment très profitable pour David car il a appris beaucoup au sujet du contrôle de soi et de la colère inappropriée.

Supposons que David n'ait pas obéi comme je le voulais et qu'il n'ait pas pu se calmer et dominer sa colère même après que je lui ai ordonné de le faire. L'étape suivante aurait été de l'amener dans un endroit où nous aurions été seuls. Si je n'avais pas pu l'y amener par une instruction verbale, il aurait fallu aller vers une autre étape de persuasion, l'utilisation de la force physique. Mais là encore, j'aurais utilisé la méthode la moins rude. Je l'aurais pris par la main, en passant peut-être un bras autour de ses épaules, et je l'aurais conduit dans un endroit paisible. Il faut contrôler la conduite d'un enfant de la manière la plus gentille, la mieux intentionnée et la plus affectueuse possible.

LE DÉFI

Il aurait été tout à fait possible que David reste insensible à toute approche verbale. Il aurait pu refuser de faire ce que je voulais qu'il fasse dans cette situation. Cette situation aurait pu dégénérer en bataille de volontés. C'est ce qui s'appelle le défi.

Le défi est une attitude qu'il est justifié de punir. Le défi, c'est résister ouvertement à l'autorité parentale. C'est refuser d'obéir avec entêtement. Bien sûr, le défi, comme toute autre mauvaise conduite, ne peut être toléré. Dans ces circonstances, il faut châtier, et ces circonstances arrivent parfois, quoique nous fassions. Cependant les parents doivent essayer d'éviter des assauts aussi désagréables. En ne se pliant pas à tous les caprices et les désirs de l'enfant, mais en réexaminant constamment leurs propres attentes au sujet de leur enfant, en s'assurant qu'elles sont raisonnables, pleines d'égard et en harmonie avec l'âge de l'enfant, son niveau de développement et sa capacité de répondre. Oui, un temps vient où le châtiment est nécessaire, mais si les parents sont toujours en train de punir leur enfant, il est important qu'ils réévaluent leur relation avec cet enfant et ce qu'ils attendent de lui.

Imaginez qu'un enfant devienne ouvertement défiant et que sa conduite ne cède pas même si son réservoir émotionnel est rempli. Il n'obéit plus aux requêtes ni aux ordres et il reste plein de défi. (Encore une fois laissez-moi vous dire que cette situation devrait être très rare. Quand elle survient, assurez-vous que vous avez tout essayé avant de recourir à la punition). Il doit alors être puni, mais comment?

LA PUNITION APPROPRIÉE

Il est rarement facile de déterminer une punition qui sera adéquate. Elle doit être proportionnelle à la faute. L'enfant est très sensible à la justice et à la logique. Il sait quand ses parents exagèrent ou quand ils sont trop durs. Il sait aussi quand les parents acceptent trop facilement ses faiblesses. Il détecte le manque de logique à son égard et par rapport à d'autres enfants, en particulier ses frères et sœurs. C'est la raison pour laquelle les parents doivent être fermes avec l'enfant, et exiger toujours une conduite appropriée; mais ne pas avoir peur en même temps de les aimer et de les orienter continuellement. Là où ils doivent cependant faire preuve de souplesse, c'est surtout par rapport à la punition.

La souplesse est nécessaire pour plusieurs raisons. D'abord, les parents font des erreurs. Si vous pensez que les parents ne doivent pas modifier une décision disciplinaire une fois prise, vous vous acculez à un mur. *Bien sûr* que les parents peuvent changer d'idée et diminuer ou augmenter la punition. (Rappelez-vous que c'est là un désavantage du châtiment corporel; une fois administré, il ne peut être repris).

Évidemment, il ne faut pas que les parents changent d'idée trop souvent, ni qu'ils soient trop mous et troublent ainsi leur enfant. Je veux dire que, si une punition a été donnée, par exemple la réclusion dans la chambre durant une heure, et que, par après, les parents découvrent des faits nouveaux démontrant que cette punition est trop sévère, il est logique et convenable de l'expliquer à l'enfant et de diminuer la pénitence. Si l'enfant a déjà été puni ou, pour d'autres raisons, a subi un châtiment inapproprié, il est parfaitement justifié que les parents s'excusent auprès de lui et qu'ils cherchent à corriger la situation.

Les parents doivent faire preuve de souplesse afin de changer leur approche envers leur enfant chaque fois que cela s'impose. Ils doivent garder suffisamment de souplesse pour pouvoir s'excuser selon le cas. Le besoin de changer ses décisions à l'occasion et de s'excuser existe dans tous les foyers.

Avoir assez de souplesse afin d'adapter notre façon de faire la discipline et être ferme sont deux choses différentes. Mais elles sont toutes les deux essentielles. La fermeté doit se manifester d'abord en face des attentes de comportement de notre enfant et en face de ses réponses à nos demandes. Si nos exigences sont trop rigides, nous manquons de sagesse, par exemple: s'attendre à ce qu'un enfant de deux ans réponde avec satisfaction à nos exigences. Un enfant normal de deux ans est naturellement négatif la plus grande partie du temps, et il semble être plutôt désobéissant et défiant à cet âge. Cela est un stade normal de développement. Nous l'appellerons «le négativisme de l'enfant de deux ans». Punir à cet âge est injustifié. Les parents aimants d'un enfant de deux ans seront fermes, mais fermes dans les limites qu'ils posent et non dans la punition. Ces parents contrôleront le comportement de l'enfant en le manœuvrant gentiment physiquement, par exemple en le déplaçant, en l'orientant vers autre chose, en le guidant à la bonne place ou dans la bonne direction.

Ce «négativisme de deux ans» est essentiel au développement de l'enfant normal. C'est un des moyens que chacun de nous a pris pour se séparer psychologiquement de ses parents. Cela peut ressembler à de la défiance mais c'est tout à fait différent. Entre le négativisme de deux ans et la défiance, il y a une différence, et c'est la belligérance. Alors que ce négativisme est normal et ne devrait pas être puni, la défiance querelleuse, d'un autre côté, ne peut être tolérée et doit être réglée.

En grandissant, la capacité de l'enfant de répondre à des requêtes verbales augmente et lorsqu'il atteint quatre ans et demi (cela peut varier d'un enfant à un autre), ses parents peuvent s'attendre à ce qu'il obéisse dès qu'une requête est faite. Je m'attends toujours à ce que mes enfants obéissent dès qu'une requête est formulée. S'ils ne le font pas, ils savent que je prendrai des mesures. Bien sûr, ils ont le droit de faire des remarques appropriées au sujet de la requête, ou de poser des questions. Mais à moins que je ne change la requête, ils savent qu'ils doivent l'exécuter.

Il est très important de se rappeler que pour être fermes nous n'avons pas besoin de nous montrer désagréables. Nous devons être fermes dans nos exigences et dans leur exécution mais nous serons tout aussi efficaces si nous sommes fermes d'une façon plaisante. La fermeté aimante n'exige pas que nous soyons fâchés, que nous parlions fort, que nous soyons autoritaires ou désagréables.

Une des plus importantes leçons à apprendre pour l'éducation des enfants est que l'enfant a besoin d'expérimenter simultanément toutes les façons d'aimer. Il a besoin de contact visuel, de contact physique, d'attention concentrée et de discipline, *simultanément*. Un enfant doit avoir notre amour et notre fermeté en même temps. Aucun de ces éléments ne s'exclue mutuellement. Être ferme n'annule pas l'affection. Être affectueux ne diminue pas la fermeté et n'encourage pas le laissez-faire. C'est le manque de fermeté et de limites bien définies qui encouragent le laissez-faire, mais non l'amour ni l'affection.

Si, après avoir donné consciencieusement tous les éléments d'amour et de discipline à un enfant, il reste défiant et belliqueux, les parents doivent le punir. Ce genre de défiance doit être brisé. La punition doit être assez sévère, mais, en même temps, aussi peu rigoureuse que possible afin d'éviter les problèmes dont nous avons déjà parlé. Si un ordre ou une explication sont suffisants pour briser cette défiance pourquoi chercher à être plus répressif? Si envoyer un enfant dans sa chambre pour un temps suffit, très bien. S'il faut lui enlever un privilège pour briser cette défiance, faisons-le. Regardons en face le châtiment corporel: il est parfois nécessaire pour briser une défiance belliqueuse prononcée; on ne doit s'en servir qu'en tout dernier recours.

SOYEZ PRUDENT

Lorsque le châtiment corporel est utilisé, nous devons être prudent de diverses manières. Premièrement, l'enfant doit savoir exactement pourquoi il est puni. Expliquez-lui exactement ce qui n'est pas acceptable dans sa conduite. Des expressions telles que « mauvais garçon » pourraient blesser son estime personnelle et ne devraient pas être employées.

Deuxièmement, les parents devraient veiller à n'infliger à l'enfant aucun dommage physique. Par exemple, il est très facile de blesser un doigt par inadvertance.

Troisièmement, immédiatement après le châtiment, alors que l'enfant pleure, il devrait être laissé seul. Les parents devraient rester proche cependant et attendre que les pleurs cessent. Quand un enfant a cessé de pleurer et qu'il regarde autour de lui, il demande: « m'aimez-vous, m'aimez-vous encore? » Les parents devraient alors donner à l'enfant une abondance de contact visuel, de contact physique et d'attention concentrée pour le rassurer qu'il est, en fait, encore aimé.

LA MODIFICATION DU COMPORTEMENT

Finalement je pense qu'il est approprié de parler de la modification du comportement. C'est un système de pensée qui connaît une large utilisation aujourd'hui dans l'éducation des enfants. En résumé, ce système utilise un renforcement positif (en plaçant dans l'environnement de l'enfant un agrément positif), un renforcement négatif (en enlevant l'agrément de l'environnement de l'enfant), la punition (en plaçant un désagrément dans l'environnement de l'enfant). Un exemple d'un renforcement positif est de récompenser la bonne conduite d'un enfant en lui donnant un fruit ou une douceur. Un exemple de renforcement négatif est de priver un enfant de télévision pour sa mauvaise conduite. Un exemple de châtiment (appelé parfois une technique d'aversion) est de pincer son muscle trapèze pour une conduite répréhensible.

Il n'entre pas dans le cadre de ce livre de parler de ce sujet en profondeur. Cependant, il y a quelques remarques importantes à faire.

Premièrement, on a tellement insisté sur la modification du comportement que de telles techniques sont fréquemment substituées aux soins émotifs. Si la modification du comportement est trop utilisée par les parents dans leurs contacts avec leur enfant, il ne se sentira pas aimé. Pourquoi? Premièrement, parce que le fondement lui-même de la modification du comportement est *conditionnel*. Un enfant ne reçoit une récompense que s'il se *conduit* d'une certaine façon. Deuxièmement, la modification du comportement ne s'occupe pas des sentiments ou des besoins émotifs de l'enfant (de l'amour). C'est pourquoi les parents qui utilisent la modification du comportement comme moyen principal d'éduquer leur enfant, ne peuvent pas donner à leur enfant un amour inconditionnel.

Par exemple, pensez à l'illustration que j'ai utilisée dans le chapitre précédent au sujet de la nécessité de remplir le réservoir émotionnel de Dale alors qu'il se conduisait mal après mon absence de trois jours. Un behaviouriste[1] strict dirait que j'ai recompensé Dale pour sa mauvaise conduite en lui donnant de l'affection à ce moment-là. Voyez-vous la différence? Les parents ne peuvent pas utiliser principalement cette technique dans leurs relations avec leur enfant et, en même temps, l'aimer inconditionnellement.

Un autre problème de cette approche, c'est que l'enfant s'habitue à un système de valeurs inadéquat. Il va apprendre à faire les choses essentiellement pour une récompense. Il aura recours au principe de l'orientation intéressée du «que vais-je en tirer?» Un exemple de cela s'est passé dans le foyer d'un de nos amis. C'est un behaviouriste strict et il élève ses enfants aussi près que possible du concept de la modification du comportement. Un soir, alors que nous mangions chez lui, il dit: «Jerry n'a que trois ans et il sait déjà compter jusqu'à cent. Écoutez bien.» Il alla chercher son fils et dit: «Jerry, compte jusqu'à cent et je te donnerai une douceur.» Jerry répliqua instantanément: «Je ne veux pas de douceur.» Si nous voulons que nos enfants apprennent à faire des choses pour la satisfaction de les faire ou pour la fierté d'un travail bien fait, nous ne devrions pas utiliser avec excès la modification du comportement. Le résultat final est une motivation inappropriée.

Un dernier problème que soulève l'utilisation de la modification du comportement est celui-ci: si les parents se servent trop de ces techniques, un enfant apprendra à obtenir ce qu'il veut en utilisant les mêmes techniques sur ses parents. Il se conduira comme ses parents le souhaitent pour *obtenir quelque chose qu'il désire.* La plupart des personnes appelleraient cela de la manipulation. Un des moyens les plus sûrs d'encourager votre enfant à être fourbe et manipulateur est d'employer souvent les techniques de la modification du comportement.

Maintenant que j'ai fait voir les aspects négatifs de cette technique, laissez-moi vous montrer les aspects positifs. Elle a sa place dans l'éducation de l'enfant, mais non comme moyen fondamental d'établir une relation avec lui; le moyen fondamental restera toujours l'amour inconditionnel.

La modification du comportement devrait être employée pour des problèmes de comportement spécifiques qui se répètent et pour lesquels un enfant n'est ni désolé ni défiant. Ce genre de problème doit aussi être suffisamment spécifique pour être facilement défini et compris par un enfant.

Je vais vous donner un exemple de ce cas qui est arrivé chez nous. Il y a environ six mois, nos deux garçons s'étaient rendus à un stade où ils se battaient souvent ensemble. Bien sûr, ni l'un ni l'autre ne le regrettaient, et ni l'un ni l'autre ne manifestaient de défiance. Nos demandes ne marchaient pas. Les ordres n'avaient d'effet que pendant quelques heures. Les punitions avaient aussi des effets brefs et étaient désagréables pour tous. Savez-vous ce qui a marché? Oui, ce fut un système de récompense.

Nous nous sommes servi d'un tableau avec des étoiles: une étoile pour chaque quinze minutes de paix en augmentant graduellement l'intervalle jusqu'à ce que les luttes cessent complètement. Nous avons donné à chaque garçon une récompense appropriée pour un certain nombres d'étoiles. Cela marcha à merveille et nous avons eu la paix dans la maison.

Il faut cependant se méfier d'une chose à propos de cette technique. Elle prend du temps, de la logique, des efforts réels et de la persévérance. Ne commencez pas quelque chose de ce genre à moins que vous ne soyez décidé à vous y tenir et à être fidèle. Autrement cela ne marchera pas.

Il y a un très grand nombre de livres sur la modification du comportement qui présentent des techniques spécifiques.

Ce chapitre a été long mais laissez-moi faire une dernière remarque. Comme vous devez vous en rendre compte, pour élever un enfant il faut rechercher la modération. Un enfant a besoin de tout ce que nous avons mentionné: le contact visuel, le contact physique, l'attention concentrée, la discipline, les requêtes, la fermeté, la souplesse, les ordres, le pardon, la punition, la modification du comportement, l'instruction, les directives, l'exemple et l'écoute active. Nous devons cependant donner à notre enfant ces choses *avec mesure.* J'espère que nos discussions vous aideront à y parvenir de façon à ce que votre enfant se sente inconditionnellement aimé.

1. Behaviouriste: personne qui applique une méthode d'observation psychologique qui a pour objet l'étude des relations entre les stimuli et les réponses du sujet, ou comportement.

11

Les enfants qui ont des problèmes particuliers

Pourquoi les enfants qui présentent des problèmes spécifiques tels qu'un diabète, des difficultés d'apprentissage, une surdité, une hyperactivité ou un retard mental, ont-ils généralement des problèmes émotifs et de comportement beaucoup plus grands? La réponse à cette question est très complexe. Expliquer pourquoi les enfants, qui présentent de tels problèmes, ont une plus grande tendance aux troubles émotifs et aux troubles de comportement, est au-delà du plan de ce petit livre.

Je voudrais cependant faire quelques remarques pertinentes qui pourraient être utiles aux parents de tels enfants.

LES PROBLÈMES DE PERCEPTION

Regardons d'abord le domaine général des problèmes de perception. Il est difficile de décrire ce qu'est la perception. Cela peut vouloir dire saisir ou capter une information au moyen des sens et la communiquer au cerveau. Dans ce cas, un enfant qui présente un problème de perception a de la difficulté à capter une information dans son environnement et à la transmettre à son cerveau. Par conséquent, lorsqu'une information, comme une image visuelle, un son ou un toucher, est transmise à son cerveau, il a de la difficulté à la comprendre clairement. Sa compréhension de l'environnement est déformée suivant la ligne de ses mauvaises perceptions.

En utilisant cette définition très large et très simplifiée des problèmes de perception, nous voyons que cela peut amener de nombreux problèmes particuliers. Les problèmes visuels, les problèmes auditifs, certaines maladies neurologiques et de nombreuses incapacités d'apprentissage ont un point commun: chaque enfant qui souffre d'un de ces désordres a une conception déformée de son environnement. D'une ou de plusieurs façons, les stimuli ou les informations qui lui parviennent sont faussées chez lui.

Les conséquences de ces problèmes de perception vont bien au-delà de l'incapacité perceptive en tant que telle. Chaque manifestation d'amour envers notre enfant exige l'utilisation d'un ou de plusieurs sens de la perception. Le contact visuel exige que l'enfant perçoive l'image visuelle. Le contact physique exige le sens du toucher qui est en lui-même très complexe. L'attention concentrée exige l'usage de tous les sens. Si un enfant présente trop de distorsions perceptives dans un de ces domaines, la compréhension qu'il aura de nos sentiments à son égard pourra être faussée. Cela rendra la communication de l'amour vers cet enfant, d'autant plus laborieuse.

La difficulté pour eux de se sentir aimé amène généralement les enfants handicapés à avoir une piètre conception d'eux-mêmes. C'est une des raisons pour lesquelles ils se sentent de plus en plus déprimés en grandissant. Cela aboutit à des désordres de comportement et à des désordres émotifs graves, en particulier au début de l'adolescence.

L'histoire d'un enfant handicapé au niveau de la perception se déroule souvent ainsi. Ralenti dans ses apprentissages, il ne peut se mesurer favorablement, ni au niveau scolaire, ni d'aucune autre façon par rapport à ses semblables. Il a de mauvaises notes et il est obligé dans d'autres domaines d'endurer constamment des expériences humiliantes. Même dans des situations où l'évaluation n'entre pas en ligne de compte, il a conscience de ses déficiences. Au moment de la pré-adolescence il devient de plus en plus déprimé. En général, cela ne paraît pas trop à moins que la dépression n'ait atteint des profondeurs extrêmes. D'une façon caractéristique ces adolescents de 12, 13 et 14 ans manifestent leur dépression par des difficultés à écouter en classe. La durée du temps d'attention diminue ainsi que la capacité de se concentrer et, conséquemment, ils ont de plus en plus de mauvais résultats. Bientôt, s'installe chez eux un ennui prolongé qui entraîne un manque d'intérêt pour les activités saines. Rendu à ce point, le jeune est profondément malheureux.

Si l'ennui persiste, l'adolescent exprimera violemment sa dépression et sa misère. Une jeune fille déprimée et tourmentée peut, dans un tel état, se livrer à n'importe qui, faire usage de drogues, faire une fugue ou prendre d'autres attitudes antisociales. Un garçon dans une situation semblable aura tendance à agir de la même manière mais il sera plus enclin aux activités violentes comme le vol et les bagarres.

Si nous savons que les enfants handicapés au niveau de la perception sont presque toujours prédisposés à avoir une pauvre opinion d'eux-mêmes, à travers le sentiment de ne pas être aimés et acceptés et qu'ils sont voués à la dépression, comment pouvons-nous les aider? Je crois fermement que le domaine où ils ont le plus besoin d'aide est grandement négligé. Vous devinez que ces enfants, plus que d'autres, ont besoin de se sentir véritablement et inconditionnellement aimés. Ils seront alors plus aptes à surmonter leurs handicaps.

Comment pouvons-nous faire? De la même manière que nous manifestons notre amour à tous les enfants. Nous devons nous rappeler que même si leurs perceptions sont faussées dans certains domaines, elles le sont rarement au niveau de tous les sens. Ces enfants ont presque toujours besoin de beaucoup plus de manifestations d'affection pour se sentir aimés. De plus, ces enfants ont besoin que nous leur donnions notre amour d'une façon plus directe, plus ouverte, plus prononcée. Nous devons aussi le leur donner avec plus d'intensité. Tout cela est nécessaire afin que ces enfants n'interprètent pas mal nos sentiments à leur égard, afin qu'ils reçoivent un message *clair* allant de nos cœurs aux leurs. Nos communications d'amour avec ces enfants doivent être claires et fortes.

LES AUTRES PROBLÈMES DE SANTÉ

Les enfants qui ont des problèmes de santé chroniques ont aussi tendance à avoir des problèmes émotifs et de comportement. Cela est particulièrement vrai pour ceux qui ont des problèmes qui exigent une supervision médicale étroite et une attention constante comme pour le diabète juvénile. Prendre soin de jeunes enfants qui ont cette maladie exige de la part des parents énormément de temps et d'effort. Aussi les parents risquent de ne donner leur attention complète qu'au traitement de la maladie et d'oublier les autres besoins de ces enfants. Pour la plupart d'entre eux, leurs besoins émotifs sont méconnus. Leurs parents deviennent tellement absorbés par le traitement d'insuline à donner correctement, la diète à surveiller, les tests de glucose à faire et tout le reste, que ces actions nécessaires éclipsent l'attention naturelle de l'amour. Aussi utiles soient-ils, ces devoirs médicaux ne sont pas un substitut à l'amour inconditionnel donné par le contact visuel, le contact physique et l'attention concentrée. Lorsque ces enfants grandissent, ils ressentent de plus en plus de colère, de rancune et d'amertume à l'égard de leur maladie. À cause de cette substitution des soins médicaux à l'amour inconditionnel, les enfants en veulent à leur maladie et à leurs parents. Ils deviennent hostiles et défiants non seulement envers l'autorité parentale mais envers toute autorité. Ils sont enclins à la dépression et livrés à ses conséquences. Ce qui est grave, c'est qu'ils utilisent souvent le jeu de leur maladie pour défier leurs parents et exprimer leur colère et leur frustration. Cela peut se faire en prenant trop d'insuline, en mangeant trop d'hydrates de carbone, etc. Il y en a beaucoup qui en réalité se tuent ainsi dans un geste de colère et de défi.

Il y a d'autres raisons dans cette maladie qui contribuent aux attitudes amères et destructrices de ces jeunes patients. Selon mon expérience elles se résument cependant à deux raisons principales qui font que ces pauvres enfants deviennent, si intensément, rancuniers et défiants. La première est celle que nous venons de présenter, à savoir la substitution de soins médicaux à d'autres formes souhaitables de manifestations d'amour. La deuxième est l'absence de limites bien définies et l'absence de contrôle du comportement de l'enfant par les parents. Ces derniers souvent s'apitoient sur la maladie de l'enfant. Ils peuvent eux-mêmes ressentir de la culpabilité, de la peur ou du découragement. Si les parents ne peuvent pas contrôler la conduite de leur enfant malade comme ils le feraient pour les autres, c'est-à-dire avec fermeté, celui-ci finira par les manœuvrer. Cela est particulièrement facile pour des enfants qui souffrent d'une maladie chronique. Ils utilisent souvent leur maladie pour manœuvrer leurs parents. Ils le font en exploitant leur sentiment de culpabilité et de pitié, en les menaçant de laisser leur état empirer ou en leur disant carrément qu'ils vont succomber volontairement à la maladie.

Ces éléments peuvent jouer, jusqu'à un certain point, chez tout enfant qui présente une maladie chronique, un handicap quelconque ou un autre problème tel que l'asthme, la bronchite chronique, une déficience cardiaque, une malformation physique, un retard mental, l'épilepsie, une maladie neurologique, une maladie musculaire, des problèmes dentaires et même des difficultés d'apprentissage. La liste peut s'allonger à l'infini.

C'est pourquoi, chers parents, si votre enfant souffre d'un handicap quelconque, ou d'un problème spécifique, ne vous laissez pas absorber par le problème au point d'oublier l'enfant. Il a besoin de votre amour inconditionnel plus que de toute autre chose, encore plus que de soins médicaux aussi nécessaires soient-ils, plus que d'apprentissages correctifs, de soins spéciaux ou d'instruments d'apprentissage, plus que de n'importe quels exercices et beaucoup plus que de n'importe quels médicaments. Les ingrédients les plus indispensables à la vie de votre enfant sont vous et le don de votre amour inconditionnel. C'est par cela que votre enfant trouvera la force et la volonté de surmonter son problème et de se développer normalement.

L'ENFANT RÉBARBATIF

Je voudrais parler de l'aide que l'on peut donner à un enfant qui résiste à l'affection et même qui s'y oppose. Oui, croyez-le ou non, il y a des enfants qui refusent d'une façon presque congénitale les manifestations d'affection et d'amour. Ils résistent au contact visuel, ils ne veulent pas être touchés et ils semblent insensibles à l'attention concentrée.

Cela peut arriver à des degrés divers. Certains enfants ne sont que moyennement rébarbatifs alors que d'autres sont vraiment mal à l'aise dans les communications d'amour. Certains enfants peuvent être mal à l'aise par rapport à une façon de communiquer l'amour mais pas avec une autre. Chaque enfant est unique en son genre.

L'enfant rébarbatif est toujours une énigme pour ses parents. Des parents consciencieux savent instinctivement que cet enfant a besoin d'affection et d'autres formes de soins émotifs, mais lorsqu'ils essaient de combler ces besoins, l'enfant trouve d'innombrables moyens d'éviter les manifestations d'amour. Quel dilemme! De nombreux parents se résignent finalement à penser que c'est « ce que l'enfant veut ». Ils présument que l'enfant n'a pas besoin d'attention, d'amour et d'affection. Ceci est une erreur désastreuse.

Même l'enfant rébarbatif à l'extrême a besoin de tout ce dont nous avons mentionné à propos de l'amour inconditionnel. Mais puisque cet enfant est mal à l'aise dans ces manifestations, les parents doivent graduellement lui apprendre à recevoir agréablement l'amour.

Commençons par étudier les cinq périodes pendant lesquelles un enfant est capable de recevoir l'amour. Pendant ces périodes, les défenses de l'enfant sont à leur plus bas niveau et il est alors capable de communiquer suffisamment près du niveau émotif pour être réceptif. Chaque enfant est différent. Un enfant peut être plus réceptif pendant une période et moins pendant une autre. Il incombe aux parents d'apprendre à reconnaître ces moments où leur enfant est plus apte à recevoir de l'amour et de l'affection.

La première période de réceptivité à mentionner c'est quand un enfant trouve quelque chose de bien drôle. Par exemple, lorsqu'un enfant regarde la télévision et voit une scène cocasse. À ce moment précis, les parents peuvent saisir l'occasion de faire un contact visuel, un contact physique et de donner de l'attention concentrée tout en commentant la drôlerie. Les parents doivent généralement être très rapides à agir car les défenses d'un enfant très rébarbatif ne s'affaiblissent que brièvement. Il faut «entrer et sortir rapidement» sinon un enfant se gardera encore plus de nouvelles tactiques du genre dans l'avenir.

La deuxième période de réceptivité se présente lorsqu'un enfant a fait quelque chose dont il est fier à juste titre. Il ne s'agit pas de n'importe quoi. Il s'agit de quelque chose dont l'enfant se sent réellement satisfait. À ce moment-là, les parents peuvent faire un contact visuel et physique et, si cela est approprié, donner de l'attention concentrée, tout en félicitant l'enfant. Encore ici, il faut veiller à ne pas exagérer, surtout en prolongeant indûment les compliments. Il faut «entrer et sortir».

La troisième période de réceptivité se présente lorsque l'enfant n'est pas bien physiquement. S'il est malade ou blessé, sa réceptivité à ce moment peut cependant être imprévisible. Parfois la maladie ou la douleur augmentent la capacité de l'enfant de recevoir de l'affection, mais parfois aussi elles augmentent sa résistance. Les parents doivent constamment surveiller cela afin de sauter sur toutes les occasions de donner de l'amour dans ces périodes de maladie ou de douleur. Un enfant n'oubliera jamais un moment spécial comme celui-ci.

La quatrième période de réceptivité, c'est lorsque l'enfant a été blessé émotivement. Cela arrive souvent à la suite d'un conflit avec ses copains, et où ceux-ci se sont moqués de lui. Pendant ces instants de souffrance émotive, de nombreux enfants rébarbatifs sont capables d'accepter que nous leur manifestions notre amour.

La cinquième période de réceptivité dépend surtout des expériences antérieures d'un enfant. Par exemple, un enfant qui a eu des expériences agréables et significatives alors qu'il faisait de longues promenades avec ses parents, sera certainement plus réceptif à l'amour de ses parents pendant d'autres promenades. Un autre enfant qui a eu des moments agréables à l'heure du coucher, alors que ses parents ont lu, parlé et prié avec lui, sera naturellement plus réceptif à cette heure-là. C'est pourquoi, il est très important de ménager à l'enfant, d'une façon quotidienne des moments agréables et chaleureux. Cela est un investissement qui rapporte de larges dividendes tant aux parents qu'à l'enfant. Un rituel du coucher est un de ces bons investissements.

En un mot, tous les enfants ont besoin des moyens naturels de manifestation d'amour: le contact visuel, le contact physique, l'attention concentrée. Si un enfant n'en accepte pas souvent, il faut chercher à savoir pourquoi et corriger la situation.

Nous n'avons discuté que de quelques-uns de ces problèmes qui peuvent empêcher un enfant de recevoir ce dont il a désespérément besoin. J'aurais pourtant aimé pouvoir parler des autres enfants qui ont des problèmes spécifiques, des enfants défavorisés, des enfants de divorcés, des enfants dépressifs, des enfants en maladie terminale et des adolescents.* Le temps et l'espace nous en empêchent.

* Le livre «L'adolescent, le défi de l'amour inconditionnel» du même auteur est disponible aux Publications ORION.

12

De l'aide spirituelle pour votre enfant

Une des plus grandes plaintes que nous entendons aujourd'hui de la part des adolescents, c'est que leurs parents n'ont pas réussi à leur transmettre un code d'éthique cohérent auquel ils peuvent se référer. Ce désir ardent s'exprime de diverses façons. Un adolescent dit qu'il a besoin « d'un sens à sa vie ». Un autre veut « un modèle pour le guider ». D'autres jeunes sont à la recherche « d'une gouverne supérieure », « de quelque chose à laquelle ils puissent s'accrocher » ou « de quelque chose qui leur montrera à vivre ».

Ces cris désespérés ne viennent pas de quelques adolescents insatisfaits ou malheureux. La plupart des adolescents ont ces sentiments et expriment ces désirs. Ils sont troublés, très troublés, au sujet de ce domaine existentiel de la vie. Il est plutôt exceptionnel de rencontrer des jeunes qui ont une vue d'ensemble du sens et du but de la vie, qui sont en paix avec eux-mêmes et leur monde, et qui ont compris comment ils doivent vivre dans le monde embrouillé, changeant et apeurant d'aujourd'hui.

Un enfant regarde d'abord vers ses parents dans ce domaine. Pour pouvoir trouver chez eux ce qu'il recherche, il faut deux choses: premièrement que ses parents aient des valeurs fortes, et deuxièmement, il doit pouvoir s'identifier à ses parents au point d'incorporer et d'accepter dans sa vie leurs valeurs. Un enfant qui ne se sent pas aimé trouvera cela difficile.

LA PREMIÈRE CONDITION REQUISE

Considérons la première condition requise pour qu'un enfant reçoive ce sens de la vie après lequel il soupire. Nous, parents, avons besoin d'un fondement sur lequel nous basons nos vies et qui peut traverser le test du temps. Quelque chose qui pourra nous soutenir à travers toutes les phases de la vie: l'adolescence, le jeune âge adulte, l'âge moyen, la vieillesse, à travers les crises conjugales, les crises financières, les crises des enfants, les crises d'énergie et particulièrement à travers une société qui change rapidement et dans laquelle les valeurs de toutes sortes se dégradent vite. Nous, parents, devons établir ce fondement pour construire nos vies, si nous voulons le transmettre à nos enfants. À mon sens c'est le trésor le plus inestimable que nous puissions donner à notre progéniture.

Quel est ce secret indispensable qui donne à la vie un sens et un but et que l'on peut transmettre à nos enfants? Nombreux sont ceux qui l'ont cherché depuis le commencement des civilisations mais peu l'ont trouvé réellement. Les philosophes débattent ces questions et cherchent les réponses depuis des siècles. Les chefs des nations pacifiques ont, à l'occasion, proclamé quelques réponses. Les politiciens disent avoir des réponses pour maintenant mais leurs législations soigneusement planifiées laissent les cœurs aussi vides et aussi insatisfaits qu'auparavant et encore plus dépendants du contrôle humain (gouvernemental). Les sciences de la santé mentale offrent leur aide pour régler les problèmes émotifs, les perturbations mentales, les désordres psychologiques, les problèmes d'adaptation et les problèmes conjugaux.

Mais cette possession précieuse qui donne la paix du cœur, et que chaque cœur désire, est Quelqu'un. Il est intimement personnel, mais peut être partagé avec quelqu'un d'autre. Il fortifie dans les temps de trouble et rassure dans les temps de détresse. Il donne de la sagesse dans les temps de confusion et corrige dans les temps d'erreur. Il donne son aide aujourd'hui comme hier et promet encore plus pour l'avenir. Il dirige et conduit en tout temps et ne nous laisse pas marcher seul. Il est plus proche qu'un frère.

Il donne des commandements auxquels il faut obéir et cependant Il offre des promesses merveilleuses à ceux qui obéissent. Il permet des pertes et de la souffrance à certains moments, mais Il guérit toujours et remplace la perte par quelque chose de mieux. Il ne s'impose pas à nous, mais attend patiemment d'être accepté. Il ne nous force pas à faire Sa volonté mais Il est profondément affligé et peiné lorsque nous suivons la mauvaise voie. Il veut que nous L'aimions parce qu'Il nous a aimé le premier, mais Il nous donne la liberté de L'accepter ou de Le rejeter. Il veut prendre soin de nous, mais Il refuse de s'imposer à nous. Son plus grand désir est d'être notre Père, mais Il ne nous force pas. Si nous voulons ce qu'Il veut — une relation amoureuse de Père et d'enfant — nous devons accepter Son offre. Il attend que vous et moi devenions Ses enfants. Vous l'avez deviné, ce Quelqu'un est un Dieu personnel.

Cette relation personnelle et intime avec Dieu, à travers son Fils Jésus-Christ, est la chose la plus importante dans la vie. C'est là ce que nos jeunes désirent ardemment; c'est là «ce sens à la vie», «ce quelque chose sur quoi compter», «cette gouverne supérieure», «ce quelque chose qui réconforte quand tout s'écroule autour de nous». Tout est là. Comprenez-vous?

LA DEUXIÈME CONDITION REQUISE

La deuxième condition requise pour pouvoir transmettre à un enfant ce que nous avons c'est que l'enfant puisse s'identifier à nous afin de pouvoir accepter et incorporer nos valeurs dans sa vie.

Comme nous l'avons dit, si un enfant ne se sent pas aimé et accepté, il a de réelles difficultés à s'identifier à ses parents et à leurs valeurs. En dehors d'un lien d'amour fort et sain, un enfant se dresse contre les directives de ses parents et réagit avec colère, rancune et hostilité. Il considère chaque requête et chaque ordre de ses parents comme une obligation et apprend à leur résister. Dans des cas graves, un enfant apprend à considérer chaque requête de ses parents avec une telle rancune que son orientation face à l'autorité parentale (et bientôt à toute autorité, y compris Dieu), l'amène à faire exactement le contraire de ce qui lui est demandé.

À cause d'une telle attitude et d'une telle orientation, vous devinez combien il est difficile de transmettre à votre enfant votre système de valeurs morales.

Pour qu'un enfant puisse s'identifier à ses parents (se sentir étroitement associé à eux) et pour qu'il soit capable d'accepter leurs normes, il doit se sentir véritablement aimé et accepté par eux. Pour pouvoir lier leur enfant à la relation étroite qu'ils ont avec Dieu, les parents doivent s'assurer que leur enfant se sent inconditionnellement aimé. Pourquoi? Tout simplement parce que c'est ainsi que Dieu nous aime — inconditionnellement. Il est extrêmement difficile pour des personnes qui ne se sentent pas inconditionnellement aimées de leurs parents, de se sentir aimées de Dieu. Cela demeure le plus grand obstacle et le plus courant pour beaucoup de personnes qui tentent d'établir une relation personnelle avec Dieu. Les parents doivent empêcher que cela arrive à leurs propres enfants.

Comment les parents peuvent-ils s'assurer que leur enfant est préparé et prêt à accepter l'amour de Dieu? Ils doivent s'assurer que ses besoins émotifs sont satisfaits et garder son réservoir émotionnel plein. Les parents ne doivent pas s'attendre à ce que leur enfant trouve une relation étroite, chaleureuse, *qui en vaille la peine,* avec Dieu, s'ils ne se sont pas occupés de lui émotivement et s'il n'a pas eu avec eux une telle relation.

Oui, j'ai cependant vu des enfants qui ont été élevés durement et qui sont des Chrétiens. Mais parce qu'ils ont été élevés surtout par des punitions plutôt que dans l'amour inconditionnel, ces personnes ont rarement une relation saine, amoureuse et chaleureuse avec Dieu. Elles ont tendance à utiliser leur religion d'une façon répressive contre les autres sous le prétexte de «les aider». Elles se servent des commandements bibliques et d'autres enseignements des Écritures pour justifier leur propre comportement sévère et dur. Elles ont aussi tendance à s'établir comme des magistrats spirituels et à dicter aux autres leur conduite. Il est possible pour chaque enfant de trouver un jour le chemin d'un Dieu aimant et d'accepter les bras qu'Il nous tend. Avec Dieu, il n'y a rien d'impossible. Malheureusement les chances pour un enfant de rencontrer Dieu diminuent sérieusement si ses parents ne lui ont pas donné un fondement d'amour.

Il y a donc deux prérequis indispensables si nous voulons aider un enfant sur le plan spirituel: il faut que les parents aient une relation personnelle avec Dieu et il faut qu'un enfant ait l'assurance d'être aimé inconditionnellement.

LA MÉMOIRE D'UN ENFANT

Une autre chose très importante à part cela, à connaître au sujet d'un enfant est le fonctionnement de sa mémoire. Rappelez-vous qu'un enfant est beaucoup plus émotif que cognitif. Il se rappelle donc beaucoup plus facilement les émotions que les faits. Un enfant peut beaucoup plus facilement se rappeler comment il s'est senti dans une situation particulière que des détails de l'événement.

Laissez-moi vous donner un exemple pertinent. Un enfant qui a suivi des cours d'enseignement religieux à l'église se rappellera longtemps comment il s'y sentait même après avoir oublié ce qui s'y disait ou s'y enseignait.

Dans un certain sens, l'expérience agréable ou désagréable de l'enfant était beaucoup plus importante que les détails de ce que le moniteur enseignait. Par agréable, je ne veux pas dire qu'un enseignant doive se plier à tous les désirs de l'enfant et à ses fantaisies. Je veux dire qu'il doit traiter un enfant avec respect, bonté et considération, et lui donner un bon sentiment de lui-même. Il ne faut pas critiquer l'enfant, ni l'humilier, ni l'abaisser d'une façon ou d'une autre. Ce que l'on enseigne à un enfant est très important mais si cela constitue pour l'enfant une expérience dégradante ou ennuyante, il rejettera probablement même le meilleur enseignement, surtout s'il s'agit d'enseignement moral et d'éthique. C'est à partir de ce genre de situation qu'un enfant manifeste du parti-pris contre la religion et a tendance à considérer les gens d'église comme des hypocrites. Cette attitude est difficile à rectifier et peut durer toute une vie. D'autre part, si l'apprentissage est agréable, les souvenirs que l'enfant garde des choses religieuses seront agréables et pourront être incorporés à sa personnalité.

Un couple d'amis ont un garçon de huit ans, Michael, qui avait l'habitude d'aimer entendre parler à l'église des choses spirituelles. Il n'y avait aucun problème à l'amener à la maison de Dieu. Malheureusement, une fois, Michael et un autre garçon turbulent se mirent à parler et rire pendant l'exposé de l'enseignant. Sans réfléchir, celui-ci envoya Michael et l'autre garçon dans une petite pièce où ils eurent à copier «tu honoreras ton père et ta mère» sans arrêt jusqu'à ce que leurs parents viennent les chercher. L'irrationalité et l'insensibilité de ce châtiment injuste et humiliant eurent des effets dramatiques. Il provoqua chez Michael tant de colère, de peine et de ressentiment qu'il se mit à avoir de l'animosité contre toute chose religieuse. Il refusa de retourner à l'école et évidemment sa conception de Dieu se détériora. Ce n'est qu'après plusieurs mois que ses parents attentifs furent capables d'aider Michael à reprendre confiance dans les choses spirituelles. Cela arrive à peu de choses près, lorsque l'enseignement du maître est placé au-dessus du bien-être émotif de l'enfant. L'émotivité et la spiritualité ne sont pas des entités tout à fait étrangères. Elles sont reliées et dépendantes l'une de l'autre. C'est pourquoi, si des parents veulent aider leur enfant sur le plan spirituel, ils doivent d'abord s'occuper de lui sur le plan émotif. Parce qu'un enfant se rappelle plus facilement des sentiments que des faits, il a besoin d'une série de souvenirs agréables sur lesquels il pourra accumuler des faits, surtout des faits spirituels.

UNE ERREUR RÉPANDUE

J'aimerais examiner ici une conception populaire erronée. Elle s'exprime ainsi: «Je veux que mon enfant apprenne à faire ses propres choix après avoir vu toutes sortes de choses. Il ne devrait pas se sentir obligé de croire ce que je crois. Je veux qu'il apprenne à connaître différentes religions et philosophies; quand il sera grand il fera ses propres choix.»

Un tel parent s'esquive ou alors, il est grossièrement ignorant du monde dans lequel nous vivons. Un enfant élevé ainsi est vraiment à plaindre. Sans une direction et une clarification constante des questions morales et spirituelles, son esprit glissera dans une confusion de plus en plus grande face aux difficultés de ce monde. Il y a des réponses raisonnables à de nombreux conflits de la vie ainsi qu'à nos contradictions apparentes. Un des meilleurs cadeaux que des parents puissent donner à leur enfant est donc une explication claire et fondamentale de ce monde et de ses problèmes troublants. Sans cette base stable de connaissance et de compréhension, est-il surprenant que des enfants crient à leurs parents: «Pourquoi ne m'avez-vous pas montré le sens de tout cela? Qu'est-ce que tout cela signifie?»

Une autre raison pour laquelle une telle approche spirituelle relève de la négligence, c'est que de plus en plus de groupes, d'organisations et de cultes offrent des réponses aux questions de la vie, mais des réponses destructrices et aliénantes. Ces gens n'aiment rien de plus que de trouver une recrue qui a grandi dans ce trouble de l'esprit incertain. Un jeune est une proie facile pour n'importe quel groupe qui offre des réponses concrètes peu importe qu'elles soient fausses ou aliénantes (souvenez-vous des Moonistes).

Il est très déroutant de voir comment certains parents dépensent des milliers de dollars dans l'éducation de leur enfant en suivant sans hésitation les directives politiques afin d'assurer la préparation professionnelle de leur enfant, alors que pour la préparation la plus importante de toutes, celle qui permettra de traverser les batailles spirituelles de la vie et d'y trouver un sens, ils laissent leur enfant voler de ses propres ailes et devenir la proie facile de tant d'opinions trompeuses.

TOUS LES ENFANTS AIMENT LES HISTOIRES

Comment les parents peuvent-ils préparer leur enfant spirituellement? L'instruction religieuse et les activités organisées sont certainement très importantes pour le développement d'un enfant. Cependant, rien n'influence autant un enfant que son foyer et ce qu'il y vit. Cela est vrai également pour les choses spirituelles. Les parents doivent être activement engagés dans la croissance spirituelle de leur enfant. Ils ne peuvent pas se permettre de l'abandonner à d'autres, même aux jeunes moniteurs extraordinaires que l'on trouve à l'église.

D'abord les parents doivent eux-mêmes enseigner à leur enfant les buts de la spiritualité. Ils doivent lui enseigner non seulement des principes spirituels mais ils doivent lui montrer comment il peut les appliquer dans sa vie quotidienne. Cela n'est pas facile.

Il est assez simple de donner à l'enfant des connaissances bibliques comme par exemple lui présenter les différents personnages et ce qu'ils ont fait. Mais cela n'est pas le but ultime. Ce qu'il faut, c'est qu'il comprenne quelle est pour lui personnellement la signification des caractères et des principes bibliques. Nous ne pouvons y arriver qu'au prix du sacrifice de nous-mêmes, comme pour l'attention concentrée. Au fait, ce dont nous parlons, présuppose de l'attention concentrée. Nous devons être prêt à passer du temps seul avec un enfant afin de remplir ses besoins émotifs aussi bien que spirituels. Autant que possible, pourquoi ne pas le faire simultanément?

L'heure du coucher est le meilleur temps pour accomplir cette tâche car la plupart des enfants sont alors avides de communiquer avec leurs parents. Que ce soit parce que leur réservoir émotionnel a besoin d'être rempli, ou parce qu'ils cherchent à retarder l'heure du coucher peu importe. Ce qui compte c'est que c'est une grande occasion de satisfaire leurs besoins émotifs et de leur donner un enseignement spirituel dans une atmosphère appropriée dont l'enfant se rappelera avec tendresse. De quelle autre façon les parents peuvent-ils donner autant à un enfant et aussi simplement?

Tous les enfants aiment les histoires. En ce qui me concerne, je commence toujours par lire aux enfants une histoire de mon choix. Parfois c'est une histoire divertissante. D'autre fois, c'est une histoire tirée d'un livre chrétien. Il arrive que l'enfant réclame une histoire de «Bing Bing et Boing Boing» ou «Le grand Rutabaga» ou d'autres histoires que j'ai inventées auparavant.

Après cela, je lis une courte histoire exemplaire tirée d'un livre chrétien, à l'adresse des enfants. Mes fils aiment répondre à des questions au sujet des histoires aussi je préfère les livres qui présentent des questions à la fin de chaque histoire. Lorsque mon fils de neuf ans, David, demeure particulièrement insensible, je trouve alors des histoires avec plus d'action pour mieux retenir son attention. Quand un enfant répond aux questions on peut toujours trouver des similitudes et des applications à sa vie présente. La partie la plus difficile est de transmettre le message à l'enfant et parce que de nombreux parents se sentent embarrassés ou inaptes à le faire, ils abandonnent généralement le tout, d'autant plus si l'enfant ne réagit pas beaucoup. Mais que ces choses ne vous arrêtent pas! Même si l'enfant semble plus ou moins réceptif, vous pouvez être certain que vous l'influencez profondément. Le temps passé ainsi avec votre enfant aura des répercussions très lointaines. Si vous n'influencez pas votre enfant maintenant dans le domaine spirituel, quelqu'un d'autre le fera plus tard.

PARTAGEZ VOTRE VIE SPIRITUELLE

Je voudrais présenter un dernier point concernant l'aide spirituelle à donner à un enfant. Les connaissances acquises à l'église, à l'école et à la maison ne sont que des matériaux bruts que l'enfant doit incorporer à sa vie spirituelle. Il a besoin d'apprendre à utiliser ces connaissances efficacement et avec précision pour devenir une personne responsable sur le plan spirituel. Pour arriver à cela, un enfant a besoin d'expérimenter la présence quotidienne de Dieu et de pouvoir compter sur Lui personnellement.

La meilleure façon d'aider un enfant de la sorte est de partager votre propre vie spirituelle avec lui. Bien sûr, ce que vous partagez et la façon de le partager dépendront de l'âge de l'enfant, de son niveau de développement, de sa capacité de comprendre et d'assimiler.

Lorsque l'enfant vieillit, nous devrions graduellement augmenter l'ampleur de notre témoignage au sujet de notre amour pour Dieu, de notre marche quotidienne avec Lui, de notre confiance en Lui, de notre recherche de Ses directives et de Son aide, de notre reconnaissance pour Son amour, Ses soins, Ses dons et de Son exaucement de nos prières.

Nous aimerons partager ces choses avec notre enfant au moment où elles se passent et non après. Ce n'est qu'ainsi qu'un enfant recevra un témoignage authentique, un entraînement « vivant ». Partager des expériences passées ne fait qu'ajouter une information aux faits mais ne permet pas à l'enfant d'apprendre directement à travers sa propre expérience. Il y a beaucoup de vérité dans ce vieil adage: « l'expérience est notre meilleur maître ». Laissez-lui l'occasion de partager la vôtre. Plus tôt un enfant apprendra à faire confiance à Dieu, plus fort il deviendra.

Un enfant a besoin d'apprendre comment Dieu

s'occupe de tous les besoins personnels et des besoins familiaux y compris les besoins financiers. Il voudra savoir pour quelle raison ses parents prient; par exemple, savoir quand est-ce que vous priez pour les besoins des autres. Il devrait (autant que cela est convenable) connaître les problèmes pour lesquels vous demandez l'aide de Dieu. N'oubliez pas de le garder au courant du travail de Dieu dans votre vie, de la façon dont Il vous a employé pour répondre aux besoins des autres. Et certainement, un enfant devrait savoir que vous priez pour lui et pour ses besoins propres et particuliers.

Finalement, on doit enseigner à l'enfant, par l'exemple, comment pardonner et comment trouver le pardon, tant auprès de Dieu qu'auprès des autres. Les parents font cela comme nous l'avons mentionné au chapitre 9 surtout en pardonnant. Ensuite, lorsqu'ils font une erreur qui blesse l'enfant, ils doivent admettre leur erreur, s'en excuser et demander son pardon. Je ne pourrai jamais assez souligner l'importance de cela. Il y a tant de gens aujourd'hui qui ont des problèmes avec le remords. Ils ne peuvent pas pardonner et/ou ils ne peuvent pas se sentir pardonnés. Qu'y a-t-il de plus misérable? La personne heureuse qui a appris à pardonner à ceux qui l'ont offensée, et qui est capable de demander et de recevoir le pardon, donne une preuve de bonne santé mentale.

Chers parents, je souhaite que vous étudiez sérieusement le contenu de ce livre. Il a été écrit expressément pour vous par un autre parent dont le désir le plus ardent est de voir vos enfants et les siens devenir des adultes forts, sains, heureux et indépendants. Je souhaite même que vous ayez envie de relire ce petit livre. Pour ma part, j'ai souvent besoin de me rappeler comment aimer mes enfants.

Dans la même collection :

L'adolescent, le défi de l'amour inconditionnel
Dr Ross Campbell

Les enfants en colère
Dr Ross Campbell

Le parent seul
Robert G. Barnes

Aimer et agir
Dr Ross Campbell

Sommaire

Québec, Canada
2002